ます。各統計手法については、対応するRパッケージの解説、スクリプトの例、そしてその出力を順に示し、実際の解析手順を具体的に理解できるように配慮しています。これにより、Rを初めて使う方から、既に活用している方まで、幅広い読者にとって有用な参考書となることを目指しています。また、サンプルデータでの練習が終わった後も、自分のデータを解析する際に手元にあると便利なマニュアル的な使い方ができるようになっています。

第2版の出版に際しても、多くの方々のご協力をいただきました。特に金芳堂の浅井健一郎様には、第1版に続きご支援とご協力を賜りましたこと、心より感謝申し上げます。また、本書がさらに多くの臨床家の方々にとって、Rを活用するための一助となることを願っています。

2024年6月

笹渕裕介

# はじめに

本書の目的は臨床家が学会発表や論文執筆を行うにあたり、無料で使えるソフトウェアであるRを使って統計解析を行うことができるようになることです。

我々臨床家は日々の臨床の疑問を解決する目的で臨床研究を行う機会があります。臨床研究に統計解析は必須ですが、一般的な市販の統計ソフトウェアは非常に高額です。また、最新の統計手法はこれらのソフトウェアには含まれていない場合が多いです。そのような問題に直面した際に、わたしたちはRと出会いました。Rは無料であることに加えて、世界の統計家が最先端の統計手法をパッケージ化して配布しています。

わたしたちは縁あって東京大学の公衆衛生大学院へ進学し、臨床疫学・経済学教室でともに学びました。ある日、最新の統計手法を用いるためにRを使わなければならないことがありました。しかし医学研究を行う人に向けたRの入門書がほとんどなく、わたしたちは非常に苦労しながら、お互いにわからないことを相談しつつなんとか解析を行ってきました。

このような苦労をすることなく臨床家がRを使えるようになる手助けをしたいという思いがこの本を世に出す動機でした。本書はサンプルデータを使って練習することで、臨床研究を行う上で必要な統計手法を網羅的に学ぶことができるようになっています。学会発表や論文執筆の際に道標として使えるような内容になったと自負しています。

本書は2部構成となっています。Part 1はRの基礎知識から臨床研究で一般的に使用される統計手法について解説します。そしてPart 2はRの少し発展的な知識について解説します。本書は各統計手法をどのようにRで行うのかをパッケージの解説、サンプルデータを使ったスクリプトの例、スクリプトを実行した際の出力という順に並べて解説してあります。まず一通りの

超入門！

すべての
医療従事者のための

# RStudioで はじめる 医療統計

第2版

サンプルデータでらくらくマスター

【著】
笹渕裕介
大野幸子
橋本洋平
石丸美穂

# 第２版

## はじめに

本書の目的は、臨床家が学会発表や論文執筆を行うにあたり、無料で使えるソフトウェアであるＲを用いて統計解析を行うことができるようになることです。第１版では、臨床研究において必須の基本的な統計手法を、Ｒを使って実践する方法を紹介しました。本書第２版ではさらに内容を掘り下げ、より発展的なデータ操作方法や、臨床予測モデルや傾向スコア分析といった新たな統計手法の実施方法を追加し、より多様なニーズに応えることを目指しました。

私たちは東京大学の公衆衛生大学院で学びながら、Ｒの導入に苦労した経験があります。この経験を基に、同じように困難を感じる臨床家がＲをスムーズに活用できるよう手助けしたいという思いから本書第１版を出版しました。幸いにも多くの読者からご支持をいただき、Ｒを用いた統計解析の実践に役立てていただけたことを非常に嬉しく思います。

第２版では、データの操作方法について詳述し、データの前処理の技術を強化しました。特に第５章は大幅に改訂し、発展的なデータ処理方法を解説してあります。難しく感じるかもしれませんが、本書を手元に置きながら、必要に応じて参照していただくような使い方を想定してあります。これにより、研究の全体的なプロセスを効率的かつ効果的に進めるためのテクニックがより具体的に利用できるようになるでしょう。Part 2 ではさらに深い知識を提供するために、臨床予測モデルや傾向スコア分析を追加しました。これらの手法は今や広く使われるようになってきており、実際に臨床研究を実施する上で知っておくべき必須のものとなっています。

本書は、初版に引き続きサンプルデータを用いて練習することで、読者が実際のデータに対して適用できる実践的な知識を身につけられる構成となってい

使い方を学び、ご自身のデータを使って統計解析を行う際には、必要なパッケージの解説ページのみを再度参照するのが効率のよい使用方法となっています。

本書がRを学ぼうとするすべての人にとって敷居を下げるものとなればわたしたちにとってこれほど嬉しいことはありません。

最後に本書が出来上がるまでには金芳堂のスタッフの方々を始め多くの方のお世話になりました。特に金芳堂の浅井健一郎様には何度も修正をお願いするなどご迷惑をおかけしましたが、文句の一つも言わずに対応いただきました。お礼申し上げます。

2020年1月

笹渕裕介

# 目 次

# Part 1

Aくん：

Aくんは卒後4年目の後期研修医です。日々の診療に精力的に取り組んでいるとき、上司のS先生から「次の学会ではAくんも何か発表してよ」と仰せつかりました。

Aくんは日頃からZという疾患に対する新しい治療法が、今までの治療よりも効果があるのか疑問に思っていました。そこで、「疾患Zに対して新しい治療法を行うことで死亡率が減少しているのか」について検討することにしました。使えるデータは自院のカルテデータです。Aくんは忙しい診療の合間を縫って、疾患Zで入院した患者さんのカルテから既往歴や疾患Zの重症度、新しい治療法を行ったかどうか、入院死亡などのデータを集めました。

さて、データの収集は自力でできましたが、どうやって統計解析をしたらよいのかわかりません。医局には高価な統計解析用のソフトウェアはありません。また買ってもらうこともできないようです。仕方なくAくんはネットで検索してみると、Rという無料で使える解析用のソフトウェアがあるらしいことを発見しました。

本書は**医療者がRというソフトウェアで統計解析を行い、学会発表や論文執筆が行えるようになることを目的**としています。

サンプルデータは実際のカルテデータから得られる項目に絞り、1人の患者さんが1回入院すると1行のデータとなっています。

1 行目に変数名を記載

| id | Year | Admday | Discday | New_Trea | Age | Sex | Height | Weight | DM | Stroke | MI | Severity | Death | LOS | Treatment | pre1 | pre2 |
|---|---|---|---|---|---|---|---|---|---|---|---|---|---|---|---|---|---|
| 1 | 2010 | 2010/10/24 | 2010/11/5 | 0 | 62 | 2 | 167 | 75.8 | 0 | 0 | 0 | 2 | 0 | 13 | 2 | -4.34835 | -2.95082 |
| 2 | 2012 | 2012/9/24 | 2012/10/3 | 1 | 82 | 2 | 156 | 57 | 1 | 0 | 0 | 3 | 0 | 10 | 1 | 5.593469 | 0.448544 |
| 3 | 2012 | 2012/12/9 | 2012/12/14 | 1 | 75 | 2 | 155 | 61.2 | 0 | 0 | 0 | 2 | 0 | 6 | 1 | 6.942477 | 1.621226 |
| 4 | 2011 | 2011/9/9 | 2011/9/19 | 0 | 78 | 2 | 153 | 49.5 | 0 | 0 | 1 | 2 | 0 | 11 | 2 | 1.653209 | 0.28894 |
| 5 | 2013 | 2013/1/12 | 2013/1/26 | 1 | 78 | 2 | 154 | 52.5 | 0 | 0 | 0 | 8 | 0 | 15 | 1 | -0.93889 | 0.119236 |
| 6 | 2010 | 2010/8/6 | 2010/8/14 | 0 | 68 | 1 | 157 | 61.1 | 0 | 0 | 1 | 3 | 0 | 9 | 2 | 3.264994 | 0.84082 |
| 7 | 2014 | 2014/2/21 | 2014/3/11 | 1 | 72 | 2 | 168 | 64.3 | 0 | 0 | 0 | 1 | 0 | 19 | 1 | -2.62019 | 0.750484 |
| 8 | 2011 | 2011/11/2 | 2011/11/23 | 1 | 71 | 2 | 154 | 47.3 | 0 | 0 | 0 | 7 | 0 | 22 | 1 | 2.113465 | -0.5525 |
| 9 | 2012 | 2012/7/19 | 2012/8/2 | 0 | 80 | 2 | 165 | 6[illegible].9 | 1 | 0 | 0 | 11 | 1 | 15 | 2 | 3.359334 | 4.409781 |
| 10 | 2014 | 2014/3/19 | 2014/3/28 | 1 | 72 | 2 | 152 | 5[illegible].3 | 0 | 0 | 1 | 2 | 0 | 10 | 1 | 0.715674 | -1.92195 |
| 11 | 2012 | 2012/9/13 | 2012/9/19 | 0 | 75 | 2 | 167 | 6[illegible].7 | 0 | 0 | 0 | 6 | 0 | 7 | 2 | -1.33584 | 2.752646 |
| 12 | 2012 | 2012/4/1 | 2012/4/10 | 0 | 63 | 2 | 154 | 6[illegible].1 | 0 | 0 | 0 | 1 | 0 | 10 | 2 | -2.30587 | -0.47684 |
| 13 | 2012 | 2012/10/26 | 2012/11/7 | 1 | 77 | 2 | 157 | 6[illegible].5 | 0 | 0 | 0 | 2 | 0 | 13 | 1 | -1.98412 | 3.20056 |
| 14 | 2010 | 2010/8/10 | 2010/8/15 | 0 | 64 | 2 | 157 | 4[illegible].8 | 0 | 0 | 0 | 1 | 0 | 6 | 3 | -0.35203 | 0.567815 |
| 15 | 2010 | 2010/11/15 | 2010/11/20 | 0 | 66 | 2 | 154 | 54 | 0 | 0 | 0 | 1 | 0 | 6 | 3 | -7.78004 | 1.233735 |
| 16 | 2012 | 2012/4/8 | 2012/4/24 | 1 | 73 | 1 | 158 | 6[illegible].4 | 0 | 0 | 0 | 2 | 0 | 17 | 1 | -9.01749 | 2.204574 |
| 17 | 2013 | 2013/10/15 | 2013/10/28 | 0 | 69 | 2 | 148 | 4[illegible].9 | 0 | 0 | 0 | 1 | 0 | 14 | 2 | -2.66973 | -6.14102 |
| 18 | 2013 | 2013/6/8 | 2013/6/13 | 0 | 74 | 1 | 153 | 4[illegible].2 | 0 | 0 | 0 | 1 | 0 | 6 | 3 | 0.40361 | -0.04639 |
| 19 | 2014 | 2014/3/2 | 2014/3/9 | 0 | [illegible] | [illegible] | [illegible] | [illegible] | [illegible] | [illegible] | 0 | 7 | 0 | 8 | 2 | 6.927987 | 0.144447 |
| 20 | 2013 | 2013/8/22 | 2013/9/3 | 1 | [illegible] | [illegible] | [illegible] | [illegible] | [illegible] | [illegible] | 1 | 4 | 0 | 13 | 1 | 1.038528 | 1.741214 |
| 21 | 2013 | 2013/9/26 | 2013/10/3 | 0 | [illegible] | [illegible] | [illegible] | [illegible] | [illegible] | [illegible] | 0 | 2 | 0 | 8 | 2 | 9.876425 | -1.61222 |
| 22 | 2011 | 2011/2/21 | 2011/2/27 | 1 | 84 | 2 | 157 | 53.7 | 0 | 0 | 0 | 8 | 0 | 7 | 1 | 5.700585 | 1.39722 |

1 入院ごとに 1 行の情報

A くんはリサーチクエスチョンを「疾患 Z で入院した患者さんに対して新しい治療法を行うと、従来の治療法と比較して入院中の死亡や入院期間がどうなるのか」のように設定しました。

患者：疾患 Z で入院した患者さん
介入：新しい治療法
対照：従来の治療法
アウトカム：入院死亡、入院期間

また、この研究を行うために集めたデータは以下の項目です。

| 収集した項目 | 項目の説明 | 入力規則 |
| --- | --- | --- |
| id | 患者 ID | カルテ番号 |
| Year | 入院した年 | 西暦4桁 |
| Admday | 入院日 | 西暦年 / 月 / 日 |
| Discday | 退院日 | 西暦年 / 月 / 日 |
| New_Treatment | 新しい治療法 | 1：新しい治療、0：従来治療 |
| Age | 入院時の年齢 | 整数 |
| Sex | 性別 | 1：男性、2：女性 |
| Height | 身長 | 単位（cm） |
| Weight | 体重 | 単位（kg） |
| DM | 糖尿病の既往 | 1：既往あり、0：既往なし |
| Stroke | 脳卒中の既往 | 1：既往あり、0：既往なし |
| MI | 心筋梗塞の既往 | 1：既往あり、0：既往なし |
| Severity | 疾患 Z の重症度 | 整数 |
| Death | 入院死亡 | 1：死亡退院、0：生存退院 |
| LOS | 入院日数 | 整数 |
| Treatment_3cat | 治療カテゴリー | 1：新しい治療<br>2：従来治療 A<br>3：従来治療 B |
| pre1 | 死亡予測スコア1 | 実数 |
| pre2 | 死亡予測スコア2 | 実数 |

本書ではAくんは次のような順序でRを使えるようになり、最終的に疾患Zに対する新しい治療法の効果を検証することができるようになっていきます。読者の皆さんが順に読んでいくことで解析ができるように本書の順序は実際に臨床研究をする順序にしてあります。

1. RとRStudioのインストール（第1章）
2. RStudio操作の基本（第2章）
3. パッケージ利用の準備（第3章）
4. プロジェクトの作成とデータ読み込み（第4章）
5. データフレームの取り扱い（第5章）
6. データ概念の確認（第6章）
7. ggplot2（第7章）
8. 2群間の比較（第8章）
9. 3群以上の比較（第9章）
10. 重回帰・ロジスティック回帰（第10章）
11. 生存時間分析（第11章）
12. 発展的な内容（第12章以降）

Aくんが作ったデータは左のQRコード、あるいは金芳堂のウェブサイトからダウンロードできます。R本体、パッケージのバージョンアップに伴うサポートなどの情報も公開しています。

https://kinpodo-pub.co.jp/rstudio2/

ID：rstudio2024　　Password：kinpodo_r

# 第1章 R および RStudio のインストール



ポイント

- R は無料で最新の統計解析を行えるプログラミング言語である
- RStudio は R を使いやすく補助するソフトである

：「R で統計解析ができることはわかったんだけど、どんなソフトウェアなんだろう？　何はともあれ R のインストールをしないと始まらないな。インターネットで検索をしたら RStudio というのを使うと便利だって書いてあるブログがあったし……。試しに両方ともインストールすることにしようかなぁ。さて、どこでダウンロードすればいいんだろう」

## 1 R とは

**R は無料で利用できる統計解析やグラフィックス作成のためのソフトウェアです。**基本的な統計手法はもちろんのこと、ユーザーによって新たな統計パッケージが次々と開発・公開されており、最新の手法も容易に利用可能となっています。一方、R は、自分でスクリプト（R におけるプログラミングコードをこう呼びます）を入力する必要があります。そのため、初学者にとってかなりハードルが高くなっています。そのハードルを下げるために、RStudio という R を使用するための補助ツールのソフトウェアが存在しています。RStudio ではデータの読み込みなどいくつかの機能はクリックで操作を行うことが可能です。また、スクリプトの補完機能を使用できたり、グラフの出力が容易になったりと、R を使うことに対する敷居を下げてくれます。この RStudio も無料で公開されています。

## 2 R と RStudio のダウンロードとインストール

ダウンロードの必要があるソフトウェアは下表のとおりです。

| | Mac | Windows |
|---|---|---|
| R | ○ | ○ |
| RStudio | ○ | ○ |
| XQuartz | ○ | 不要 |

### ① R のダウンロード

R は The Comprehensive R Archive Network（CRAN）と呼ばれるウェブサイトからダウンロードできます。CRAN は R のバージョンアップやパッケージを登録するサイトであり、以下の URL でアクセスできます。

https://cloud.r-project.org

OS は Linux、Windows、Mac に対応していますので、このページにアクセスし、ご自身の OS に合わせて、R をダウンロードし、インストールを実行してください（図 1-1）。以前に R や Rstudio をダウンロードしている方も、最新版をダウンロードしてください。

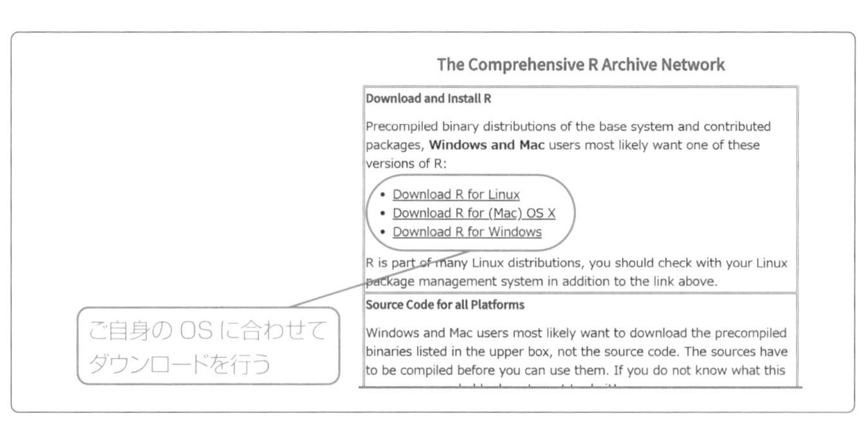


図1-1 CRAN トップページ
https://cloud.r-project.org

Mac では R のインストールに加えて、XQuartz も必要になるので忘れずにインストールしてください。また、古い OS の場合、最新版の R がインストールできない場合があるので注意が必要です（図 1-2）。

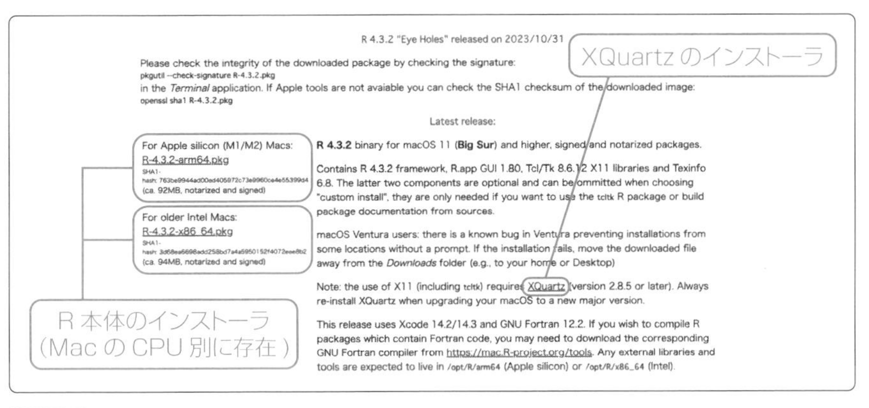


図1-2　R（Mac 版）のダウンロード画面
https://cloud.r-project.org/bin/macosx/

Windows の場合 base をクリックした先のページでインストーラをダウンロードします（図 1-3、図 1-4）。

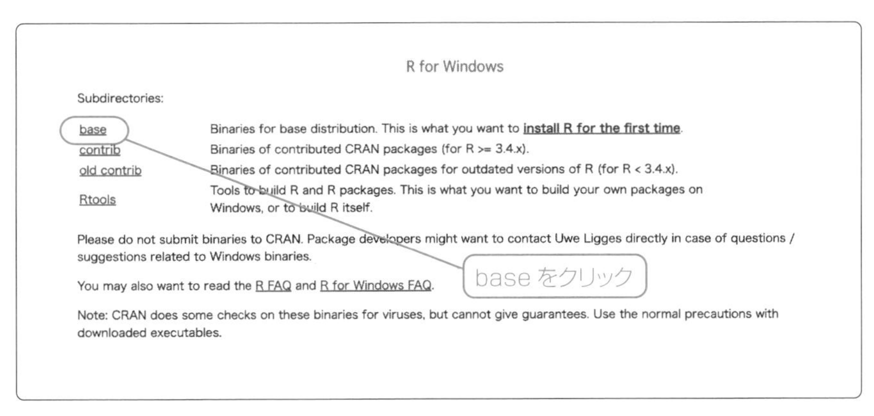


図1-3　R（Windows 版）のダウンロード画面①
https://cloud.r-project.org/bin/windows/

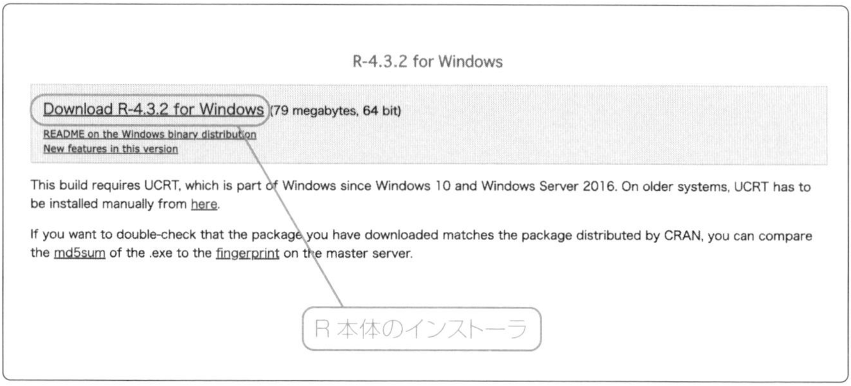

R-4.3.2 for Windows

Download R-4.3.2 for Windows (79 megabytes, 64 bit)
README on the Windows binary distribution
New features in this version

This build requires UCRT, which is part of Windows since Windows 10 and Windows Server 2016. On older systems, UCRT has to be installed manually from here.

If you want to double-check that the package you have downloaded matches the package distributed by CRAN, you can compare the md5sum of the .exe to the fingerprint on the master server.

R 本体のインストーラ

**図1-4** R（Windows 版）のダウンロード画面②
https://cloud.r-project.org/bin/windows/base/

Mac も Windows もダウンロードしたインストーラを実行すればインストールができます。

② RStudio のダウンロード

RStudio は、以下の URL からダウンロードできます。

https://posit.co/

こちらもご自身の OS に合わせて、無料のデスクトップ版のインストーラをダウンロードし、インストールを実行してください。RStudio もインストーラを実行するだけでインストールが完了します（図 1-5、図 1-6）。

これで R と RStudio を使う準備は整いました。次の章では実際に R のスクリプトを書きながら RStudio の機能について学んでいきましょう。

図1-5　https://www.rstudio.com/ のトップページ

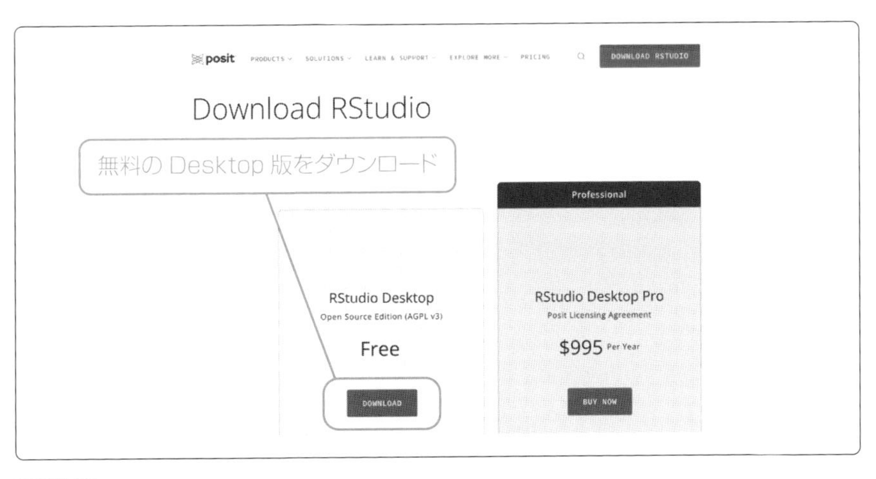


図1-6　https://posit.co/downloads/

**補足**　**Rのインストール時のエラーと対処**

パソコン自体のユーザー名が日本語である場合、RStudioがインストールされたにもかかわらず、起動しないことがあります。ユーザー名をアルファベット表記に変更しましょう。

# 第2章 RStudio 操作の基本

ポイント

- RStudio の基本機能を理解する
- スクリプトを書いて実行することで計算や統計解析ができる

:「R と RStudio は何とかインストールできたぞ。でも、開いてみたら、画面もアイコンもたくさんあるなぁ。よし、一つずつ見てみよう」

## 1 RStudio を起動してみよう

R と RStudio がインストールされていれば、RStudio を起動することで R が使えます。R を直接起動する必要はありません。RStudio を起動し、図 2-1 に示したように新しい R Script を開いてください。

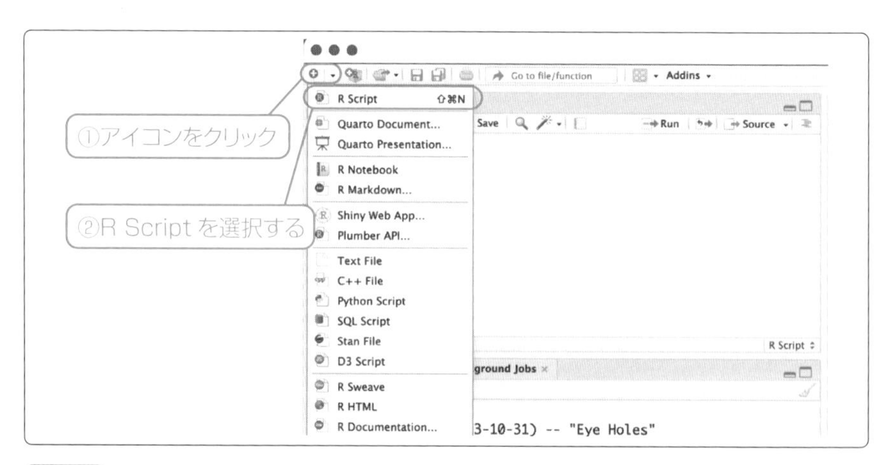


図2-1 R Script の選択

RStudio は図 2-2 のように 4 つのペイン（一つ一つのウインドウをペインという）に区切られています。各ペインはさまざまな機能をもった複数のタブによって構成されています。

図2-2　RStudio の 4 ペイン

## 2 各ペインの機能

### ① Source ペイン

スクリプトを作成・編集するウインドウです。解析する際にはここでスクリプトを編集、実行しながら進めていきます。「Run」と書かれたアイコンをクリックするか、キーボードから Mac であれば `command + Enter` 、Windows であれば `Ctrl + Enter` によってカーソルがある行のスクリプトが実行されます。スクリプトを選択することで、選択部分を実行することもできます。フロッピーディスクのアイコンのクリックでスクリプトの保存（保存の際に Encoding〈第 12 章 157 ページ参照〉を求められたら UTF-8 を選択してください）を、虫眼鏡のアイコンのクリックでスクリプト内の検索や置換を行うことが可能です。また、読み込んだデータなどをこのペインに表示させることもできます（図 2-3）。

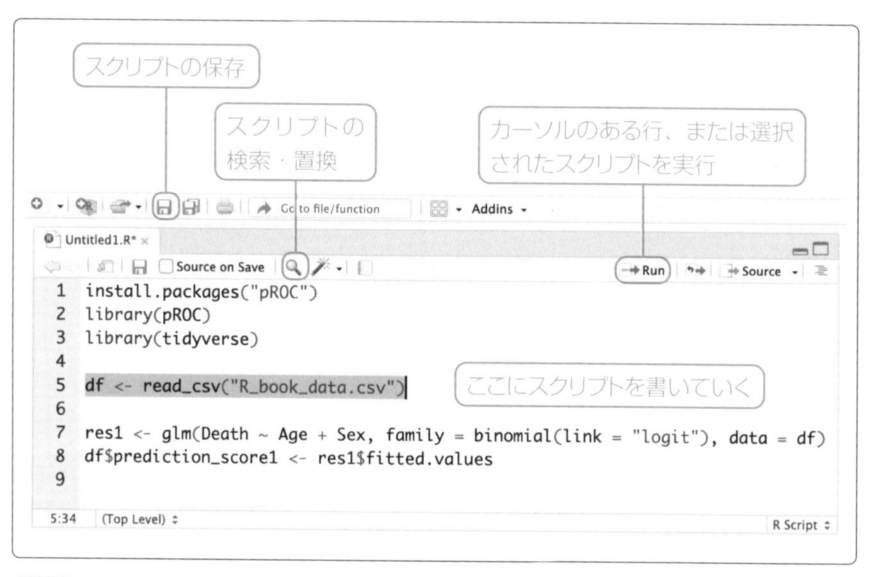


図2-3　Source ペイン

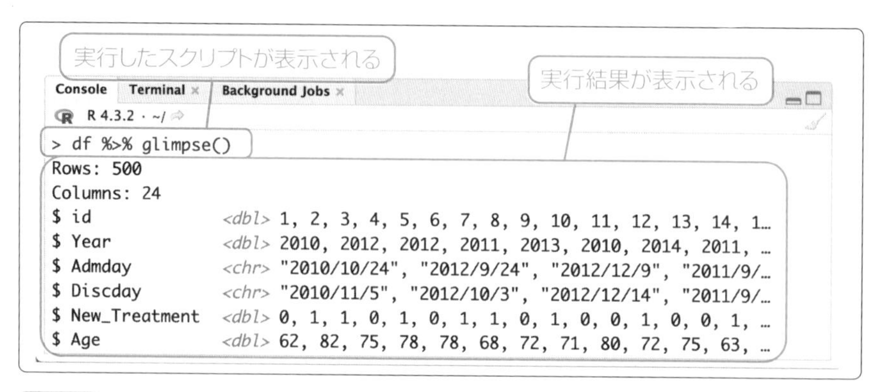


図2-4　Console ペイン

### ② Console ペイン

Console タブには実行したスクリプトと実行結果が表示されます（図 2-4）。Console にスクリプトを書くこともできますが、保存ができず再現性がなくなるので、必ず Source ペインに書きましょう。

### ③ Environment ペイン

Environment タブには読み込んだデータや解析の実行結果など格納したオブジェクト（後述）と呼ばれるものが表示されます。読み込んだデータなどをクリックすると、データの概要が①の Source ペインに新しいタブで表示されます（図 2-5）。

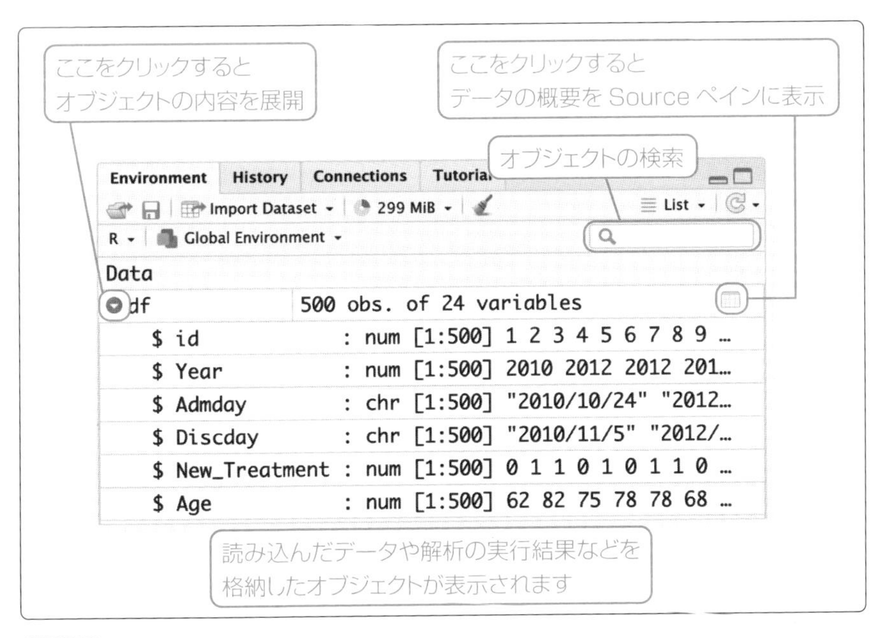


図2-5 Environment ペイン

History タブには過去に実行したスクリプトが保存されており、To Source アイコンをクリックするとスクリプトが①の Source ペインにコピーされます（図 2-6）。

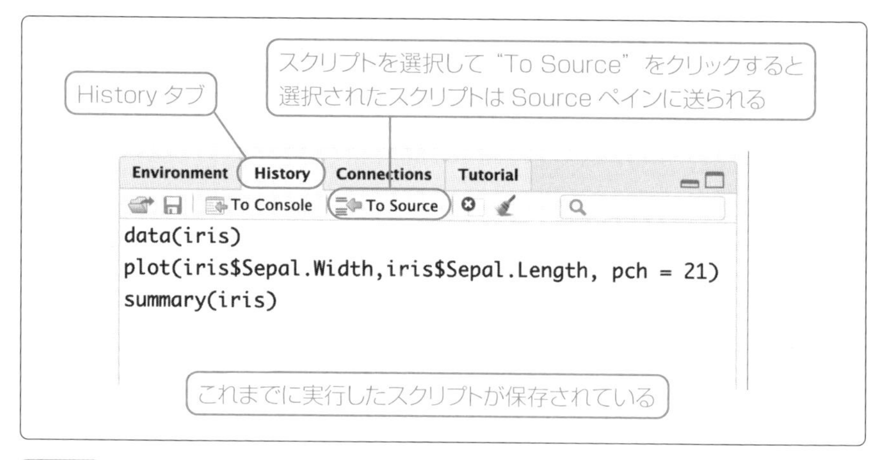


図2-6 History タブ

④ Plots ペイン

Plots タブには、Source ペインで実行したグラフ描画の実行結果が表示されます。複数のグラフを描画しても、過去のグラフが保存されており、矢印アイコンで参照することが可能です。Export メニューから形式やサイズを指定してグラフの出力を行うことができます（図 2-7）。

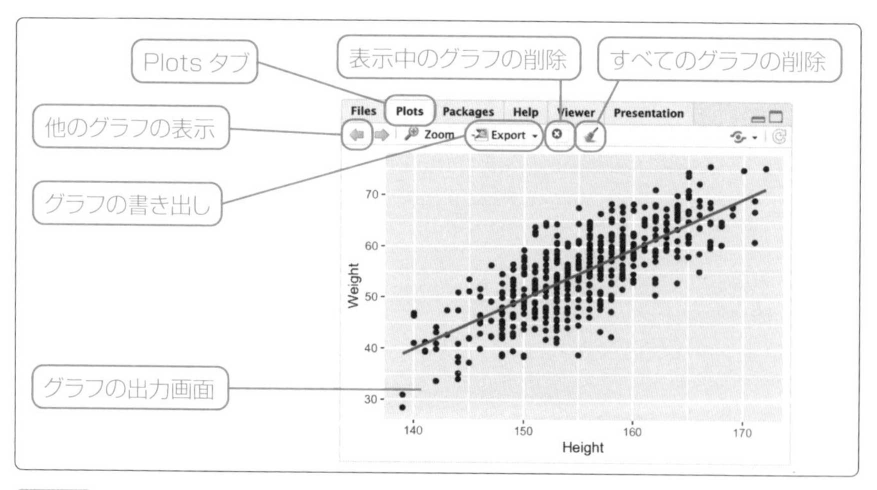


図2-7 Plots ペイン

Helpタブでは①のSourceペインで `?関数名` や `help(関数名)` を実行し、ヘルプを呼び出すことで、ここに関数やパッケージのヘルプが表示されます（詳しくは第3章21ページ参照）。

また、Helpタブのホーム画面にはRおよびRStudioに関係する有用なリンクが貼られています。RStudio Cheat Sheetsをクリックするとブラウザから R や RStudio のチートシート（使い方を簡単にまとめたカンニングペーパー）を集めたページに行くことができます（図2-8）。チートシートは英語で書かれていますが、リンク先のページを下のほうにスクロールしていくと一部日本語訳されたチートシートへのリンクも貼られています。操作に慣れるるまではチートシートを手元において参照するとよいでしょう。

Packagesタブには現在インストールされているパッケージの一覧が表示され、チェックボックスにチェックを入れることでそのパッケージが利用可能となります。Sourceペインで `library(パッケージ名)` を実行することでもパッケージが利用可能となります（第3章参照）。

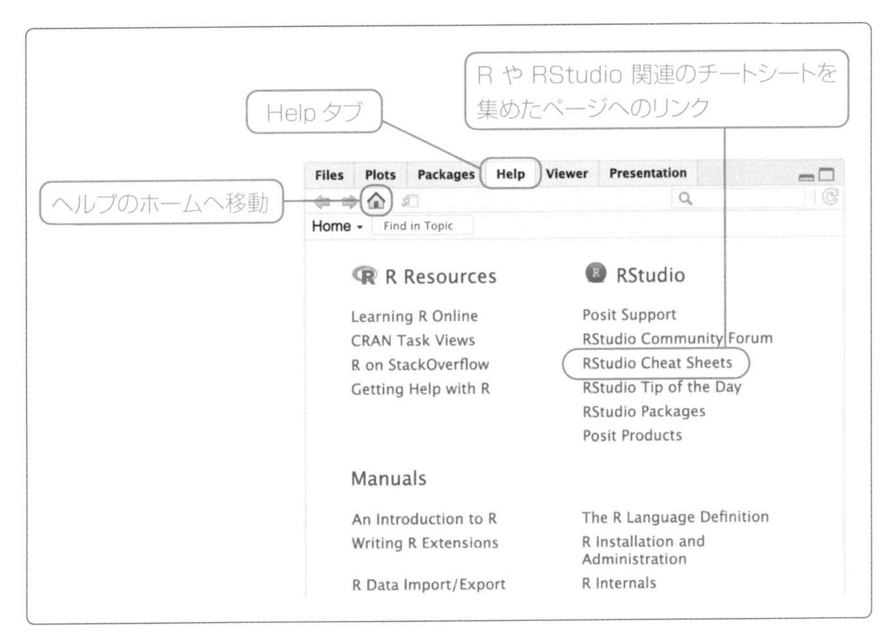


図2-8 Helpタブ

## 3 スクリプトを書いてみよう

スクリプトとは、Rへの命令をキーボードで打ち込んだものです。Rではスクリプトを書き、これを実行することであらゆる計算や統計解析などを行っていきます。本書ではスクリプトに続いて、スクリプトの実行結果を分けて表示します。なお実行結果の表示はRやパッケージのバージョン、インストールしているパッケージ、RStudioのウインドウ表示幅によって異なることがあります。

```
スクリプト行
出力結果
```

①単純な計算

まずは単純な計算をやってみましょう。Sourceペインに以下の式を入力し、実行します。**Runをクリック**または `command + Enter`（Windowsは `Ctrl + Enter`）でカーソルのある行のスクリプト、または選択されたスクリプトが実行され、結果はConsoleペインに表示されます。

```
3 + 6
[1] 9
```

複数の演算子を用いた式を書くこともできます。

```
(4 + 2) / (9 - 6)
[1] 2
```

^は累乗を表します。ここでは3の2乗を意味します。

```
3 ^ 2
[1] 9
```

表2-1に主な演算子を挙げておきます。

表2-1　主な演算子

| | |
|---|---|
| + | 足し算 |
| - | 引き算 |
| * | 掛け算 |
| / | 割り算 |
| ^ | 累乗（X ^ Y なら X の Y 乗を表します） |

②オブジェクト

オブジェクトとは「数値や計算結果などを保管しておく入れ物」です。計算結果をあとで利用したい場合には、結果を適当な名前をつけたオブジェクトに代入します。代入には小なり（<）とハイフン（-）を組み合わせた「<-」という記号を用います。

```
result <- 5 + 2
```

これで 5 + 2 の結果が result という名前のオブジェクトに代入されました。Environment ペインに result というオブジェクトが表示されます。続いて結果を呼び出してみましょう。オブジェクト名をスクリプトとして実行すると結果が Console に表示されます。

```
result
 [1] 7
```

同じオブジェクトに新たに別のものを代入するとオブジェクトの内容は上書きされます。result に文字列（第 13 章 166 ページ参照）を代入しましょう。

```
# 文字列の代入
result <- "Hello World!"
result
 [1] "Hello World!"
```

#以降はスクリプトとして実行されません。このように#から始まるコメントを書いておくことで、他人が読んだ際、あるいは自分で読み返す際の可読性が上がります。

## 4 RStudioを終了する

RStudioを終了したいときには×印をクリックする（図2-9）か、RStudio>Quit RSutdio（図2-10）を選択してください。

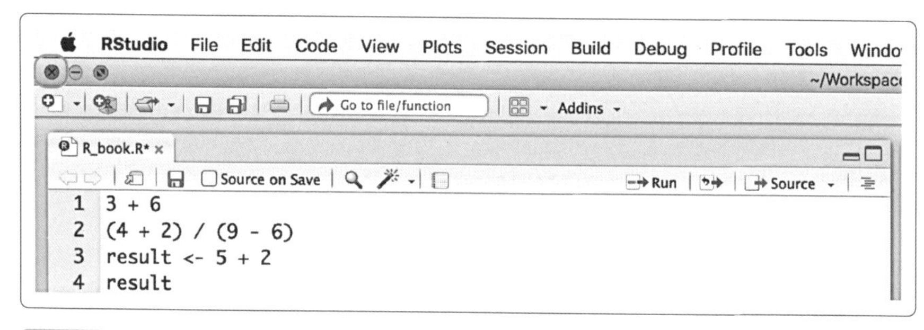


図2-9 RStudioの終了①

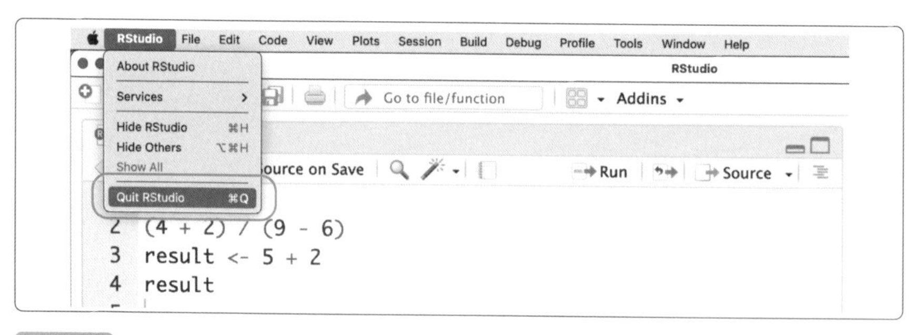


図2-10 RStudioの終了②

終了するときには、スクリプトが変更されていれば「保存しますか？」というメッセージが出てきますので、“Save”を選択しましょう（図2-11）。

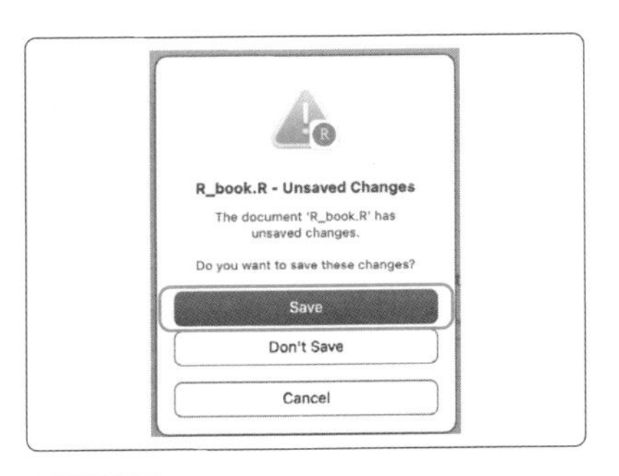


図2-11　R のスクリプトの保存

次に「ワークスペースを保存しますか？」というメッセージが出てきます（図2-12）。ここでは“Don't Save”を選択します。

ワークスペースというのは Environment ペインに表示されている内容のことです。現状では result というオブジェクトに“Hello World！”という文字列が入っています。保存を選択すると .RData というファイルができます。次回 RStudio を起動したときに .RData ファイルを開くと、result オブジェクトがある状態になります。便利な機能ではありますが、基本的には“Don't Save”を選択することを推奨します。.RData は容量の大きいデータになりやすく、次回に開くときに時間がかかったり、エラーが起こったりすることがあります。

スクリプトを保存すること、オリジナルデータを改変しないことに気をつけておけば、保存したスクリプトを実行することで同じ結果を得ることができます。

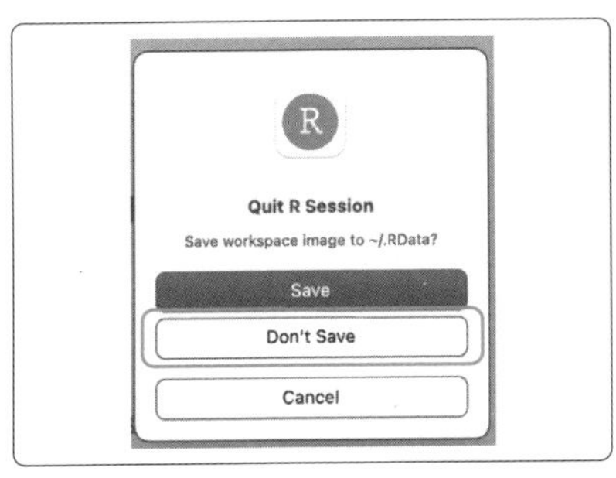


図2-12　R セッションの保存

# 第3章 パッケージ利用の準備

**ポイント**

- install.packages() でパッケージをインストールする
- library() でパッケージを呼び出す
- help() でパッケージや関数の使い方を参照する

本章で必要なパッケージ　● readr

：「基本的な使い方や計算はできるようになったな。R を解説しているブログには、便利な機能や高度な統計解析をする際、パッケージというものを新たに追加するようなことが書かれていたけれど、パッケージって何だろう？」

## 1 パッケージとは

R にはいろいろな種類の便利な関数や最新の統計手法を使うための**「パッケージ」と呼ばれる関数のセット**が存在します（図 3-1）。ほとんどのパッケージは CRAN（https://cran.r-project.org）というウェブサイトに存在し、必要に応じてそこからダウンロード・インストールを行います。パッケージのダウンロード・インストールにはインターネット接続が必要です。

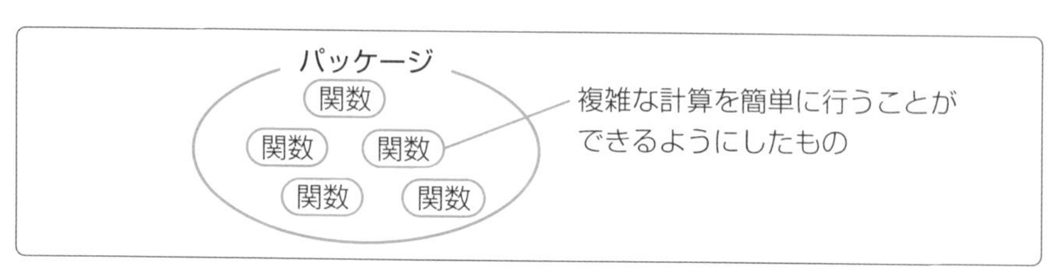


図3-1　パッケージのイメージ図

## 2 インストール方法

```
install.packages("パッケージ名")
```

readr というパッケージをインストールしてみましょう。

```
# パッケージのインストール
install.packages("readr")
```

R のパッケージはインストールするだけでは使用できません。インストールが完了したら、`library()` を用いてパッケージを呼び出すことで使用できるようになります。

```
# パッケージの呼び出し
library(readr)
```

と入力、実行します。インストールは一度だけ行えばよいですが、`library()` によるパッケージの呼び出しは RStudio を起動するたびに実行する必要があります。

## 3 help

パッケージを呼び出すと、パッケージの説明書である help ドキュメントが使えるようになります。パッケージには複数の関数が入っており、それぞれの使い方や設定を知るためには help ドキュメントを参照する必要があります。例えば、`readr` というパッケージには、データの読み込みを行う関数が入っています。その一つに次章で使用する `read_csv()` という関数があります。`help(read_csv)` または `?read_csv` と入力し実行してみてください（図 3-2）。

```
# 関数のヘルプ
library(readr)
help(read_csv)
# または
?read_csv
```

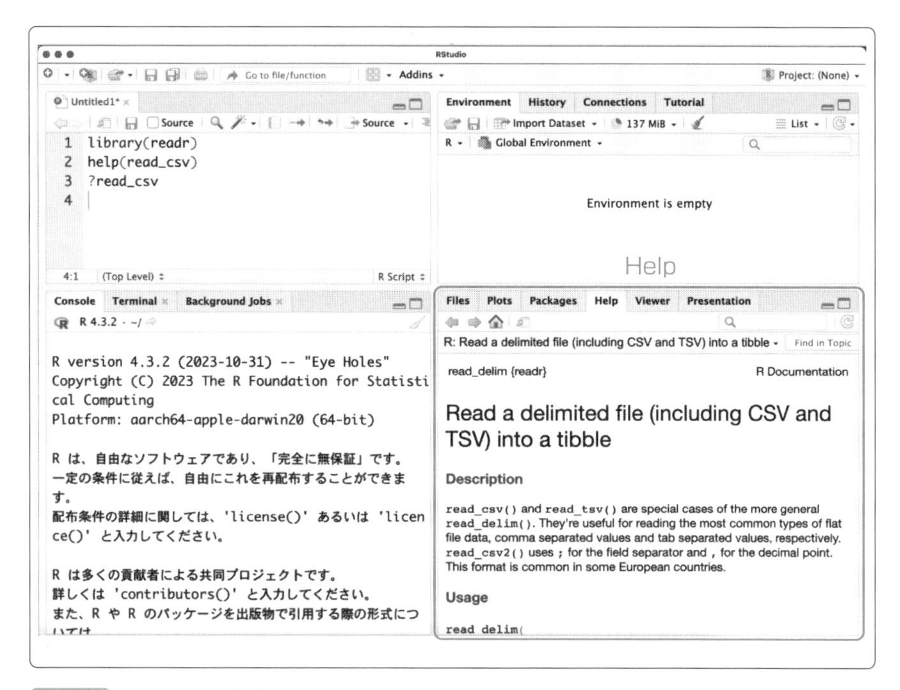


**図3-2** helpの呼び出し

右下のウインドウのHelpタブに関数の使い方のhelpが現れます。初めて使う関数はここで使い方を確認しましょう。

> 今後、各章で必要となるパッケージについて、初出であっても `install.packages("パッケージ名")` という指示の行は含まれません。各自パッケージをインストールしていただく必要があります。

Column

## 同じ関数名の競合

Rではパッケージをインストールすることでいろいろな関数を使えるようになりますが、注意すべきは同じ関数名の競合です。例えば select() は tidyverse パッケージ（第5章参照）と MASS パッケージの両方で登場するため競合します。関数名の競合に関しては、以下の事項を覚えておくとよいでしょう。

### 1. 後に library() したパッケージが優先的に使われる

```
library(MASS)
library(tidyverse)
```

の順番に実行すれば、tidyverse の select() が使われます（正確には tidyverse はパッケージ群であるため、dplyr パッケージの select() が使われる）。

### 2. 「パッケージ名::」をつけて明示する

```
dplyr::select()
```

と書けば、dplyr パッケージの select() が使われます。なお、上述のように tidyverse の select() は、正確には dplyr の select() であるため、tidyverse::select() ではエラーとなります。
例：df %>% dplyr::select(Age, Sex)

初心者の方は方法1または方法2がおすすめです。

### 3. conflicted パッケージで明示する

```
library(conflicted)  # conflictedパッケージの読み込み
conflict_prefer("select", "dplyr") # 以降はdplyrパッケージの
select()を優先する
```

と書けば、以降は dplyr パッケージの select() が優先的に使われるようになります。著者は方法３の conflicted パッケージを用いています。ただし、conflicted パッケージを library() した段階で、方法１の「後に library() したパッケージが優先的に使われる」法則は無視されるため、競合する関数名を逐一指定する必要があります。つまり、library(MASS) と library(tidyverse) のどちらを後に書いた場合でも、conflict_prefer("select", "dplyr") を書く必要があります。

# 第4章 プロジェクトの作成とデータ読み込み

**ポイント**

- プロジェクトを作成し、必要なデータをまとめて管理する
- read_csv() で CSV ファイルを読み込む

本章で必要なパッケージ　● readr

：「よし、これで準備は万全だ。集めたデータを R に読み込んでみよう！　さて、読み込むファイルはどこに置いておけばいいのかな」

## 1 プロジェクト

データ読み込みをする前に、「プロジェクト」を作成します。複数の研究の解析を同時に行っている場合などに、データやスクリプトが混ざってしまうことがあります。研究ごとにプロジェクトを作成することにより、データの整理が行いやすくなります。1 つのプロジェクトごとに 1 つのフォルダで管理します。**必要なデータなどをすべてプロジェクトのフォルダ内に入れて管理しましょう。**

それでは R_book というプロジェクトを作成してみましょう。

画面右上の Project: をクリックし、New Project>New Directory>New Project を順に選択します（図 4-1）。Directory とはフォルダのことです。

続いて出てくるウインドウ内の Directory name は新しく作成するプロジェクトを管理するフォルダ名を入力、Create project as subdirectory of

は上記フォルダを作成する場所を指定します（図 4-2）。この図ではデスクトップに R_book というフォルダを作成しています。Create Project を選択すれば新たに R_book というフォルダがデスクトップに作成され、フォルダ内には R_book.Rproj というファイルが出来上がります。今後 R_book プロジェクトの作業を行う際には、このファイルを開いてください。本書のサンプルデータもこのフォルダに入れておいてください。

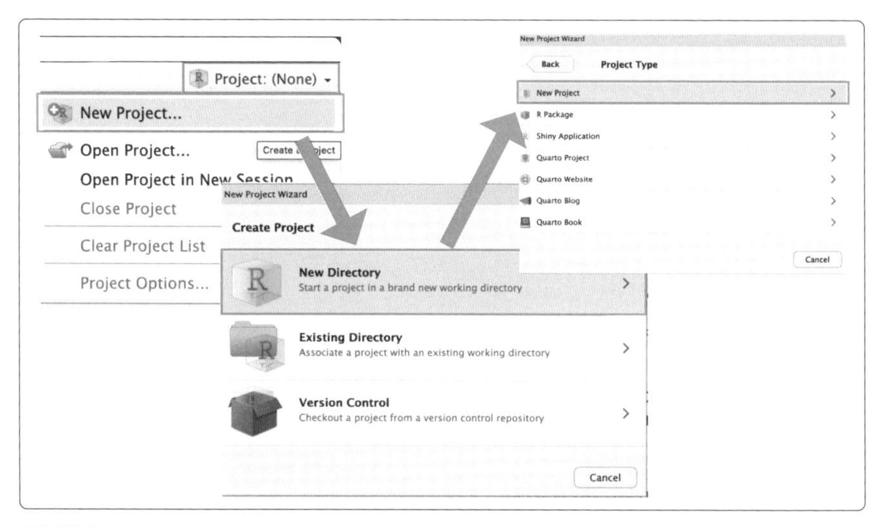


図4-1　New Project の作成

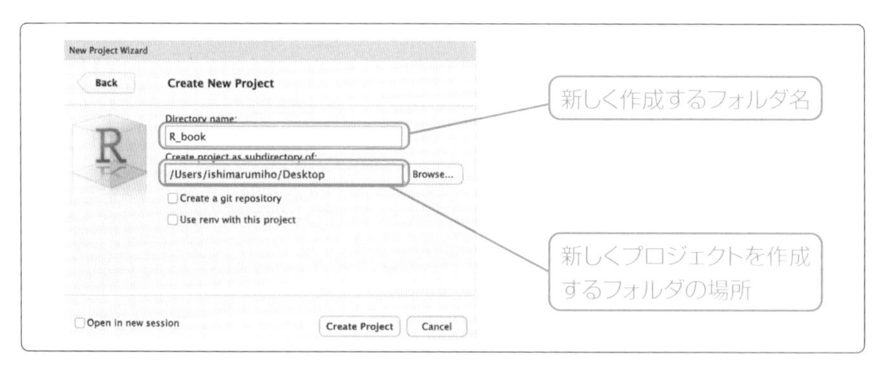


図4-2　フォルダ（ディレクトリ）名の作成

補足 **作業フォルダ**

作業フォルダ（Working directory）は、自分が作業を行っているフォルダのことで、このフォルダ内のファイルを読み込むことができます。また、書き出したファイルはこのフォルダ内に保存されます。

試しに Source ペインに `getwd()` と入力し実行してください。本章で作成したプロジェクトのパス（PC の中の所在を示す住所）が表示されます。

```
# 現在の作業フォルダの確認
getwd()
```

```
[1] "/Users/…/R_book"
```

`setwd("/Users/…")` のように入力すると、作業フォルダを変更することができます。

```
# 作業フォルダの変更
setwd("/Users/…/R_book")
```

パスの調べ方

- Windows：フォルダの上で Shift+ 右クリック > パスのコピー
  バックスラッシュ (\ または ¥) をスラッシュ (/) に置き換える
- Mac：フォルダの上で右クリック > option キー > パス名をコピー

## 2 データの読み込み

csv 形式のデータの場合は `read_csv()` を使用します。

```
read_csv("ファイル名")
```

**"ファイル名"** 読み込みたい CSV ファイルの名前を指定します。読み込むファイルは同じプロジェクトのフォルダの中に保存している必要があります。

```
# readr のインストール
install.packages("readr")
# CSV ファイルの読み込み
library(readr)
df <- read_csv("R_book_data.csv")
```

### エクセル形式のデータの読み込み

readxl パッケージの read_excel() を使ってエクセルのデータを読み込みます。

```
read_excel("ファイル名", sheet)
```

“ファイル名” 読み込みたいエクセルファイルの名前を指定します。読み込むファイルは同じプロジェクトのフォルダの中に保存している必要があります。
sheet 読み込みたいシートの番号を指定します。

```
# スクリプト側
# readxl パッケージインストール
install.packages("readxl")
# Excel ファイルの読み込み
library(readxl)
df <- read_excel("ファイル名 .xlsx", sheet = 1)
```

データ読み込みの際のエンコーディングについては第 12 章 157 ページを参照してください。

**補足** データ読み込みの際の NA 指定

R では欠損値を NA（not available の略）と表します。read_csv() は、空白、もしくは NA と書かれたセルを NA として読み込みます。これを変更したいときは na オプションを使用します。CSV ファイルに None と記載されている場合も NA として読み込みたい場合は、read_csv("R_book_data. csv", na = c("", "NA", "None")) とすることでセルが空白、NA、None の場合に NA として読み込みます。

## 3 データの表示

読み込んだデータは df というオブジェクトに保存されました。df と入力し、中身を確認しましょう。

```
# df の表示
df
```

```
# A tibble: 500 × 24
      id  Year Admday   Discday New_Treatment   Age   Sex Height
   <dbl> <dbl> <chr>    <chr>           <dbl> <dbl> <dbl>  <dbl>
 1     1  2010 2010/1… 2010/1…              0    62     2    167
 2     2  2012 2012/9… 2012/1…              1    82     2    156
 3     3  2012 2012/1… 2012/1…              1    75     2    155
 4     4  2011 2011/9… 2011/9…              0    78     2    153
 5     5  2013 2013/1… 2013/1…              1    78     2    154
 6     6  2010 2010/8… 2010/8…              0    68     1    157
 7     7  2014 2014/2… 2014/3…              1    72     2    168
 8     8  2011 2011/1… 2011/1…              1    71     2    154
 9     9  2012 2012/7… 2012/8…              0    80     2    165
10    10  2014 2014/3… 2014/3…              1    72     2    152
# ・490 more rows
# ・16 more variables: Weight <dbl>, DM <dbl>, Stroke <dbl>,
#   MI <dbl>, Severity <dbl>, Death <dbl>, LOS <dbl>,
#   Treatment_3cat <dbl>, pre1 <dbl>, pre2 <dbl>,
#   Smoking <dbl>, Alcohol <dbl>, hoken_cd <chr>,
#   hoken_cd_num <dbl>, hosp_cd <dbl>, SOAP <chr>
# ・Use `print(n = ...)` to see more rows
```

500 行×24 列のデータ（データフレームという表形式データの一種、第 13 章参照）であることがわかります。

また、下の図 4-3 の①のように Environment ペインのデータフレームアイコンをクリックすると、②のようにより見やすい形式でデータが表示されます（データの詳細は 3 ページを参照）。

なお、ご自身のデータなどの読み込みでエラーが発生する場合、第 12 章をご参照ください。

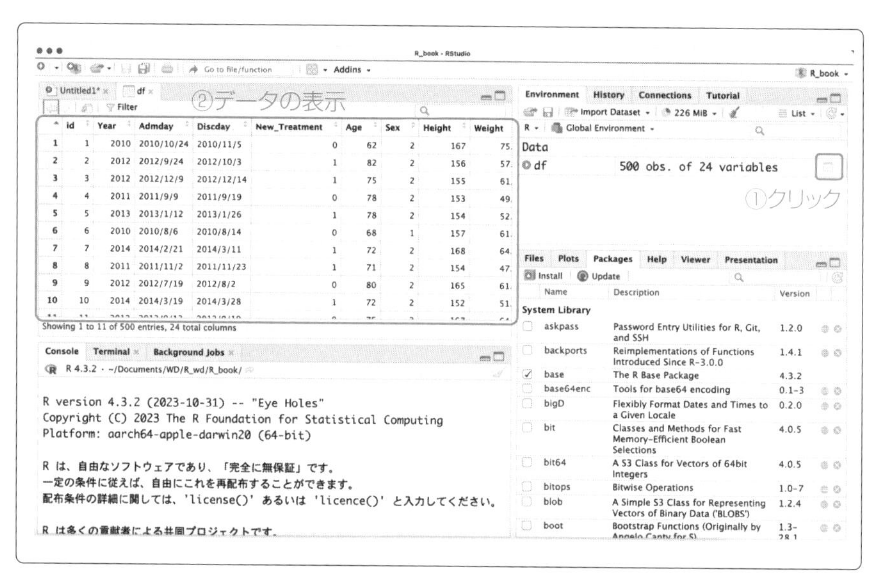


図4-3　クリックによるデータの表示

Column

## fread による高速読み込み

read_csv() によるデータ読み込みは、デフォルトで使える read.csv() と比較して高速です。しかしデータサイズが GB クラスになると、read_csv() でも読み込みに数分〜数十分かかることがあります。そこで登場するのが data.table パッケージの fread() です。下記のように read_csv() と同様の書き方で実行可能です。

```
library(data.table)
dt <- fread("R_book_data.csv")
```

fread で読み込んだデータは data.table という形式となりますが、基本的にはデータフレームと同じものです。もし本書で扱うデータフレーム（正確には tibble）と同じ形式にしたいのであれば、as_tibble() をさらに実行します。

```
library(tidyverse) #5 章参照
df <- as_tibble(dt)
```

なお 5.3GB の csv ファイルを読み込む速度を比した記事によると、fread() では約 1.4 分、read_csv() では 3.4 分となり、2 倍以上 fread() が高速であるという結果になりました（もちろんパソコンのスペックにもよります）[1)]。ビッグデータ読み込みの遅さに辟易している方にとって fread() は魅力的な選択肢となるでしょう。

参考文献

1）https://jozef.io/r917-fread-comparisons/#base-r-code-to-be-benchmarked (accessed 2024-1-1)

# 第5章 データフレームの取り扱い

**ポイント**

- 'tidyverse' パッケージを使い、データを整形する
- データ整形の必要に応じて該当部分を参照する

本章で必要なパッケージ ● tidyverse

：「さて、データを読み込めたぞ。早速解析をしてみようかな……。まずは、新しい治療法を行った群と行わなかった群で、在院日数の差があるか気になるなぁ。しかし、読み込んだデータから、2群にどうやって分ければいいのだろう？」

S先生：「Aくん、解析の前にやることがあるだろう。データが解析できるようにカテゴリー化したり、変数を作り変えたりしないといけないよ。まず、基本的なデータの扱い方を一通り覚えておこう。もちろん2群に分ける方法も教えるよ」

データを読み込んだ後、解析をすぐに行いたい気持ちはよくわかります。しかし、下準備をせずに「〜検定」や「〜回帰」を実行できることはほとんどなく、あらかじめデータを整える必要があります。これを

- 「データの前処理」
- 「データクリーニング」

といいます。

Rには `tidyverse` というデータフレーム（表形式のデータ、第13章171ページ参照）の取り扱いに特化したパッケージ群（複数のパッケージを一つにまとめたもの）が存在します。`tidyverse` で推奨されたスクリプトの書き方をすると、とても読みやすくなります。近年では多くのRユーザーが

Base R という従来の記法から徐々に tidyverse 流の記法へと移行しています。そこで、本章では tidyverse の記法を使用したデータフレームの取り扱いを学んでいきます。一通り目を通しておくと今後皆さんが研究を行う際に役に立つでしょう。

データフレームというのは、図 5-1 のような a 行 × b 列にまとめられたテーブル形式のものをいいます（第 13 章参照）。

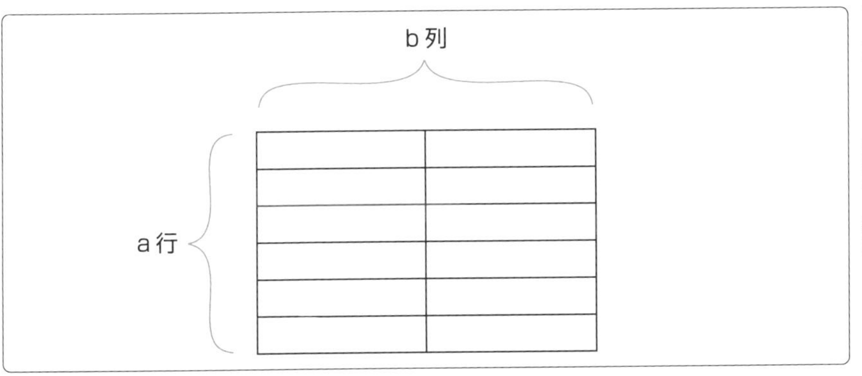


図5-1 データフレームの構造

まず、tidyverse の呼び出しを行います。

```
library(tidyverse)
```

```
-- Attaching core tidyverse packages 1) ---- tidyverse 2.0.0 --
✔ dplyr     1.1.3     ✔ purrr     1.0.2
✔ forcats   1.0.0     ✔ stringr   1.5.0
✔ ggplot2   3.4.4     ✔ tibble    3.2.1
✔ lubridate 1.9.3     ✔ tidyr     1.3.0
-- Conflicts 2) ---------------------- tidyverse_conflicts() --
✖ dplyr::filter() masks stats::filter()
✖ dplyr::lag()    masks stats::lag()
```

1）ggplot2，purrr，tibble，dplyr，……，forcats というパッケージが使える状態になったという意味です。
2）Conflicts— は、関数の競合を表します。例えば、dplyr パッケージに含まれる filter() と、もともと入っている stats パッケージの filter() が、同じ関数名のため競合していることを示しています。関数名が競合した場合、後から呼び出したほうが優先して使われるため、単純に filter() と打ち込むと dplyr の filter() が実行されます。気にする必要はありませんが、今後スクリプトを実行していく中でエラーが出た場合は、パッケージを明記して dplyr::filter() とすることで解決する場合があります（コラム「同じ関数名の競合」23 ページ参照）。

## 1 readr

tidyverse の中には、第４章で学んだ readr パッケージが含まれています。データの読み込みには readr パッケージの中の read_csv() を使用します。

```
df  <- read_csv("R_book_data.csv")
```

サンプルデータ（R_book_data.csv）を使用します。読み込んだデータに名前をつけるために、read_csv() で読み込んだデータを df という名前のオブジェクトに代入します。

**補足　パスの取得**

プロジェクトフォルダ以外の場所にデータファイルをおいてある場合は read_csv("パス") とパスを指定する必要があります。

注）パスの取得
- Windows：ファイルの上で Shift + 右クリック > パスのコピー
  バックスラッシュ (\ または ¥) をスラッシュ (/) に置き換える
- Mac：ファイルの上で右クリック > option キー > パス名をコピー



## 2 dplyr

dplyr は、直感的なデータクリーニングを可能にするパッケージです。dplyr パッケージの中核をなす関数は以下の 6 つです。

1. `filter()` ………… 行の絞り込み
2. `arrange()` ……… 行を並び替える
3. `select()` ………. 指定した列のみを抽出する
4. `mutate()` ……… 列の追加
5. `group_by()` …… グルーピングする
6. `summarize()` … 集計する

dplyr のチートシート（簡単なまとめ）は、Rstudio の Help > Cheatsheets > Data Transformation with dplyr に載っています（15 ページ参照）。

### パイプ（%>%）

tidyverse ではパイプ (%>%) という記号を使います。**パイプを使うと、**

**左辺の結果を右辺に渡すことができます。**左から右へと内容が渡されていくため直感的にスクリプトを書きやすく、複雑なスクリプトも読みやすくなります。パイプは、Mac では `command + shift + M` 、Windows は `control + shift + M` でも入力することができます。

パイプの使用例を示します。

サンプルデータ（`df`）の `LOS`（Length of stay：在院日数）について、「平均値」の「log」の「小数点以下を四捨五入した」値を求めたいとします。

まず、特定の列の値を取り出したいときには「`$`」を用います（詳しいことを言うと、「`$`」によってその列のベクトルが取り出されます）。データフレーム `df` の中の在院日数（`LOS`）を取り出したいときは、以下のようにします。

```
df$LOS
```

```
[1]   13 10  6 11 15  9 19 22 15 10  7 10 13  6  6 17 14  6  8 13  8  7 12
[24] 45 21  6  9 13  7 14 14  7 16  6  8 16  8 10  5  9 16  6 26 15 10 22
[47] 14 13  6 13 15 12  5 17 14  7 30  6  8  7  7 10 13 15  7  9 19 12 10
………
………
[484] 9 22 11 16  7 12  9 20 15 10 16 21  6 49 10 11 12
```

`LOS` 列の数値が 500 個ずらっと出てきました。この 500 個の `LOS` の値に対して、以下の計算を 1 個ずつ実行してみます。

- `mean()` … 平均値を求める
- `log()` ……. 底 e の対数を求める
- `round()` … 小数点以下を四捨五入する

```
# 複数の計算を一度に行うと括弧が重なって見づらくなります
mean(df$LOS)
log(mean(df$LOS))
```

```
round(log(mean(df$LOS)))
```

```
 [1] 13.374
 [1] 2.593313
 [1] 3
```

平均は 13.374、その log をとると 2.59、さらに小数点以下を四捨五入すると 3 となることがわかります。

これをパイプを使用して書いてみます。

```
# パイプ (%>%) を用いて実行することで直感的で読みやすくなります
df$LOS %>% mean()
df$LOS %>% mean() %>% log()
df$LOS %>% mean() %>% log() %>% round()
```

```
 [1] 13.374
 [1] 2.593313
 [1] 3
```

結果はどちらも同じですが、base の R の書き方はカッコ () が重なり、どの左カッコと右カッコが対応しているのか混乱します。一方、パイプを使うとカッコの重複が減ることに加えて、左から右へ思考回路と同じ順番で書かれています。つまり「a の平均値をとって、log をとって、四捨五入する」の順番のまま表現されているため、読みやすくなります。本書は、出来る限りパイプを使った記法に統一しています。

① filter()

**`filter()` は条件を満たす行のみを抽出する関数**です。サンプルデータ (`df`) から新治療 (`New_Treatment`) を行った人のみを取り出してみましょう。

`filter()` の使い方は以下の通りです。

```
data %>% filter(条件式)
```

| | |
|---|---|
| data | データフレーム |
| 条件式 | 演算子を用いた条件式 |

`filter()` の条件判断は以下の記号（演算子）を使用します。複数の条件判断を組み合わせる場合には「かつ」は“&”、「または」は“|”で条件をつなぎます（表5-1）。

表5-1 Rでよく用いられる演算子

| 記号 | 条件 |
|---|---|
| & | かつ |
| \| | または |
| == | 等しい |
| != | 等しくない |
| >= | 以上 |
| <= | 以下 |
| > | より大きい |
| < | 未満 |

`New_Treatment` が1の行のみを抽出します。数値が等しいことを条件にするときは、イコールを2つ重ねることに注意してください。

```
# パイプを使った書き方
df %>%
  filter(New_Treatment == 1)
```

```
# A tibble: 179 x 24
      id  Year Admday Discday New_Treatment   Age   Sex Height Weight    DM
   <dbl> <dbl> <chr>  <chr>           <dbl> <dbl> <dbl>  <dbl>  <dbl> <dbl>
 1     2  2012 2012/~ 2012/1~             1    82     2    156   57       1
 2     3  2012 2012/~ 2012/1~             1    75     2    155   61.2     0
 3     5  2013 2013/~ 2013/1~             1    78     2    154   52.5     0
 4     7  2014 2014/~ 2014/3~             1    72     2    168   64.3     0
 5     8  2011 2011/~ 2011/1~             1    71     2    154   47.3     0
 6    10  2014 2014/~ 2014/3~             1    72     2    152   51.3     0
 7    13  2012 2012/~ 2012/1~             1    77     2    157   66.5     0
 8    16  2012 2012/~ 2012/4~             1    73     1    158   61.4     0
 9    20  2013 2013/~ 2013/9~             1    82     1    153   49.3     0
10    22  2011 2011/~ 2011/2~             1    84     2    157   53.7     0
 # ・ 169 more rows
 # ・ 8 more variables: Stroke <dbl>, MI <dbl>,...
 # ・ Use `print(n = ...)` to see more rows
```

出力された結果を見ると、確かに、New_Treatment==1 の行のみが抽出されています。

次にいくつかの例を示します。結果が指定した条件通りになっていることを確認してみてください。

```
# New_Treatment が 1 であり、かつ Sex が 1 の行を取り出す
df %>%
  filter(New_Treatment == 1 & Sex == 1)
```

```
# A tibble: 73 x 24
     id  Year Admday Discday New_Treatment   Age   Sex Height Weight    DM
  <dbl> <dbl> <chr>  <chr>           <dbl> <dbl> <dbl>  <dbl>  <dbl> <dbl>
1    16  2012 2012/~ 2012/4~             1    73     1    158   61.4     0
2    20  2013 2013/~ 2013/9~             1    82     1    153   49.3     0
3    24  2010 2010/~ 2011/2~             1    79     1    149   49       0
4    30  2013 2013/~ 2013/1~             1    78     1    157   55.4     0
5    36  2012 2012/~ 2012/1~             1    78     1    162   59       1
6    43  2010 2010/~ 2011/1~             1    77     1    155   60.7     0
7    46  2012 2012/~ 2012/7~             1    78     1    149   48.9     0
8    64  2012 2012/~ 2012/2~             1    79     1    160   58.6     0
9    71  2013 2013/~ 2013/3~             1    85     1    145   53.5     0
10   78  2013 2013/~ 2014/1~             1    84     1    158   59.9     1
# · 63 more rows
# · 8 more variables: Stroke <dbl>, MI <dbl>,...
# · Use `print(n = ...)` to see more rows
```

```
# New_Treatment が 1 であるか、または 60 歳未満の行を取り出す
df %>%
  filter(New_Treatment == 1 | Age < 60)
```

```
# A tibble: 181 x 24
     id  Year Admday Discday New_Treatment   Age   Sex Height Weight    DM
  <dbl> <dbl> <chr>  <chr>           <dbl> <dbl> <dbl>  <dbl>  <dbl> <dbl>
1     2  2012 2012/~ 2012/1~             1    82     2    156   57       1
2     3  2012 2012/~ 2012/1~             1    75     2    155   61.2     0
3     5  2013 2013/~ 2013/1~             1    78     2    154   52.5     0
4     7  2014 2014/~ 2014/3~             1    72     2    168   64.3     0
5     8  2011 2011/~ 2011/1~             1    71     2    154   47.3     0
6    10  2014 2014/~ 2014/3~             1    72     2    152   51.3     0
7    13  2012 2012/~ 2012/1~             1    77     2    157   66.5     0
8    16  2012 2012/~ 2012/4~             1    73     1    158   61.4     0
9    20  2013 2013/~ 2013/9~             1    82     1    153   49.3     0
10   22  2011 2011/~ 2011/2~             1    84     2    157   53.7     0
# · 171 more rows
# · 8 more variables: Stroke <dbl>, MI <dbl>,...
# · Use `print(n = ...)` to see more rows
```

```
# New_Treatmment が 1 ではない行を取り出す
df %>%
  filter(New_Treatment != 1)
```

```
# A tibble: 321 x 24
      id  Year Admday Discday New_Treatment   Age   Sex Height Weight    DM
   <dbl> <dbl> <chr>  <chr>           <dbl> <dbl> <dbl>  <dbl>  <dbl> <dbl>
 1     1  2010 2010/~ 2010/1~             0    62     2    167   75.8     0
 2     4  2011 2011/~ 2011/9~             0    78     2    153   49.5     0
 3     6  2010 2010/~ 2010/8~             0    68     1    157   61.1     0
 4     9  2012 2012/~ 2012/8~             0    80     2    165   61.9     1
 5    11  2012 2012/~ 2012/9~             0    75     2    167   64.7     0
 6    12  2012 2012/~ 2012/4~             0    63     2    154   60.1     0
 7    14  2010 2010/~ 2010/8~             0    64     2    157   48.8     0
 8    15  2010 2010/~ 2010/1~             0    66     2    154   54       0
 9    17  2013 2013/~ 2013/1~             0    69     2    148   44.9     0
10    18  2013 2013/~ 2013/6~             0    74     1    153   41.2     0
# ・311 more rows
# ・8 more variables: Stroke <dbl>, MI <dbl>,...
# ・Use `print(n = ...)` to see more rows
```

② arrange()

arrange() は行を昇順 or 降順に並び替える関数です。昇順は小さい順、降順は大きい順という意味です。

```
data %>% arrange(X)
```

| | |
|---|---|
| data | データフレーム |
| X | 並び替える変数 |

サンプルデータの年齢を昇順に並び替えます。

```
df %>%
  arrange(Age)
```

```
# A tibble: 500 x 24
```

```
     id  Year Admday Discday New_Treatment   Age   Sex Height Weight    DM
  <dbl> <dbl> <chr>  <chr>           <dbl> <dbl> <dbl>  <dbl>  <dbl> <dbl>
1   228  2011 2011/~ 2011/3~             0    54     2    166   63.9     0
2    73  2012 2012/~ 2012/8~             0    59     2    161   56.7     0
3   331  2014 2014/~ 2014/3~             0    60     2    155   54.3     0
4     1  2010 2010/~ 2010/1~             0    62     2    167   75.8     0
5   103  2013 2013/~ 2013/5~             0    62     1    168   64.3     0
6   117  2011 2011/~ 2011/4~             0    62     1    150   55.9     0
7    12  2012 2012/~ 2012/4~             0    63     2    154   60.1     0
8    74  2011 2011/~ 2011/9~             0    63     1    151   55.2     0
9    86  2014 2014/~ 2014/1~             0    63     2    144   38.3     0
10  205  2014 2014/~ 2014/2~             0    63     1    154   45.6     0
# · 490 more rows
# · 8 more variables: Stroke <dbl>, MI <dbl>,...
# · Use `print(n = ...)` to see more rows
```

変数名に「desc()」をつければ、降順に並び替えることもできます。

```
df %>%
  arrange(desc(Age))
```

```
# A tibble: 500 x 24
     id  Year Admday Discday New_Treatment   Age   Sex Height Weight    DM
  <dbl> <dbl> <chr>  <chr>           <dbl> <dbl> <dbl>  <dbl>  <dbl> <dbl>
1   442  2010 2010/~ 2010/8~             1    91     2    152   47.6     1
2   243  2013 2013/~ 2013/4~             1    90     2    153   52.8     0
3   108  2012 2012/~ 2012/1~             1    89     2    148   45.4     1
4   208  2012 2012/~ 2012/9~             1    89     1    156   60.4     0
5   328  2012 2012/~ 2012/2~             1    89     2    155   55.8     1
6   423  2011 2011/~ 2011/3~             1    89     2    151   43.9     1
7   105  2012 2012/~ 2012/1~             1    88     2    152   48.1     1
8   119  2013 2013/~ 2013/1~             1    88     2    163   59.9     1
9   278  2011 2011/~ 2011/6~             1    88     2    154   44.1     1
10  318  2011 2011/~ 2011/7~             1    88     1    153   57.7     0
# · 490 more rows
```

```
# · 8 more variables: Stroke <dbl>, MI <dbl>,...
# · Use `print(n = ...)` to see more rows
```

複数の列に注目して並び替えることも可能です。Age と Sex の２変数で昇順に並べてみましょう。

```
df %>%
  arrange(Age, Sex)
```

```
# A tibble: 500 x 24
      id  Year Admday Discday New_Treatment   Age   Sex  Height Weight    DM
   <dbl> <dbl> <chr>  <chr>           <dbl> <dbl> <dbl>   <dbl>  <dbl> <dbl>
 1   228  2011 2011/~ 2011/3~             0    54     2     166   63.9     0
 2    73  2012 2012/~ 2012/8~             0    59     2     161   56.7     0
 3   331  2014 2014/~ 2014/3~             0    60     2     155   54.3     0
 4   103  2013 2013/~ 2013/5~             0    62     1     168   64.3     0
 5   117  2011 2011/~ 2011/4~             0    62     1     150   55.9     0
 6     1  2010 2010/~ 2010/1~             0    62     2     167   75.8     0
 7    74  2011 2011/~ 2011/9~             0    63     1     151   55.2     0
 8   205  2014 2014/~ 2014/2~             0    63     1     154   45.6     0
 9   319  2012 2012/~ 2012/1~             0    63     1     156   50.9     0
10    12  2012 2012/~ 2012/4~             0    63     2     154   60.1     0
# · 490 more rows
# · 8 more variables: Stroke <dbl>, MI <dbl>,...
# · Use `print(n = ...)` to see more rows
```

まず Age で昇順に並び替えて、その次に Sex で昇順に並び替えられたことがわかります。

Age，Sex の順番を入れ替えて arrange(Sex, Age) とすると、まず Sex で並び替えられて、次に Age で並び替えられます。

```
df %>%
  arrange(Sex, Age)
```

```
# A tibble: 500 x 24
     id  Year Admday Discday New_Treatment   Age   Sex Height Weight    DM
  <dbl> <dbl> <chr>  <chr>           <dbl> <dbl> <dbl>  <dbl>  <dbl> <dbl>
 1  103  2013 2013/~ 2013/5~             0    62     1    168   64.3     0
 2  117  2011 2011/~ 2011/4~             0    62     1    150   55.9     0
 3   74  2011 2011/~ 2011/9~             0    63     1    151   55.2     0
 4  205  2014 2014/~ 2014/2~             0    63     1    154   45.6     0
 5  319  2012 2012/~ 2012/1~             0    63     1    156   50.9     0
 6  344  2013 2013/~ 2013/5~             0    64     1    156   57.9     0
 7  110  2013 2013/~ 2013/1~             0    65     1    140   46.8     0
 8  419  2011 2011/~ 2011/9~             0    65     1    156   62.3     0
 9   53  2013 2013/~ 2013/1~             0    66     1    149   50.5     0
10  113  2013 2013/~ 2013/6~             0    66     1    146   50.1     0
# · 490 more rows
# · 8 more variables: Stroke <dbl>, MI <dbl>,...
# · Use `print(n = ...)` to see more rows
```

Column

## base と tidyverse：2 種類のパイプ

R で使われているパッケージは日々進化を遂げており、数年経つとより便利なパッケージや関数が登場していたり、逆に使おうと思っていたパッケージが利用できなくなっていたりすることがあります。本書で使用しているパイプ "%>%" は magrittr というパッケージの開発で利用できるようになり、tidyverse 流の記載法の流行により広く利用されるようになりました。パイプの書き方がわかりやすいためか、R4.1.0 のバージョンからは base パイプ "|>" が導入されました。こちらを用いると、baseR 流の記載方法でもパイプを用いた書き方が可能となりました。あまり難しい処理を行わない医療系データ解析ではどちらのパイプを用いても大きな違いはないと思い、今回の改訂では tidyverse の "%>%" は magrittr パイプのままのコードを提供しています。数年後にはすべて "|>" に置き換わっているかもしれませんので、動向に注目したいと思います。

Column

## tibble と data.frame の違いは？

本書では tidyverse の記載方法をしているため、read_csv() で読み込まれたデータの形式は tibble 型です。対して、read.csv() を始めたとした baseR の記載方法では、読み込まれたデータの形式は data.frame 型になります。基本的に tibble 型は data.frame 型をより使いやすくした形式であり優れています。そのため、医療系の研究データ解析の際には、tibble 型にしておくことを推奨します。

しかしながら、古いパッケージや独自のパッケージで作られた関数を利用して少し難しい解析を行う際に、tibble 型ではエラーとなってうまく動かない場合があります。この時はパッケージの資料をよく読み、data.frame 型なのか、matrix 型なのか、どの型に指定するか記載を確認します。data.frame 型の指定がある場合には tibble 型のオブジェクトに as.data.frame() を使い、matrix 型の指定がある場合には as.matrix() でデータ型の変更を行うことができますので、指示通りに変更してください。

### ③ select()

select() は、指定した列を取り出す関数です。

```
data %>% select(X)
```

| | |
|---|---|
| data | データフレーム |
| X | 指定する変数名 |

```
df %>%
  select(Age, Sex)
```

```
# A tibble: 500 x 2
      Age   Sex
    <dbl> <dbl>
 1     62     2
 2     82     2
 3     75     2
 4     78     2
 5     78     2
 6     68     1
 7     72     2
 8     71     2
 9     80     2
10     72     2
# · 490 more rows
# · Use `print(n = ...)` to see more rows
```

列番号で指定することも可能です。df は Age が 6 列目、Sex が 7 列目に位置しているので、以下のように書くことが可能です。両者は同じ結果になります。

```
df %>%
  select(6, 7)
```

④ mutate()

mutate() は、データフレームに新たな列を追加する関数です。サンプルデータの身長（Height）は、単位がセンチ（cm）になっています。メートル（m）に変更した列（Height_m）を新たに作成しましょう。1～5 行目で考えると、図 5-2、5-3 のイメージです。

| | id | Admday | Discday | Age | Sex | Severity | DM | Stroke | MI | New_Treatment | Death | Height | Weight |
|---|---|---|---|---|---|---|---|---|---|---|---|---|---|
| 1 | 2033 | 2010/12/2 | 2010/12/28 | 75 | 2 | 7 | 0 | 0 | 0 | 0 | 0 | 155 | 60.0 |
| 2 | 32 | 2012/8/16 | 2012/9/29 | 83 | 1 | 11 | 1 | 1 | 0 | 1 | 1 | 151 | 56.7 |
| 3 | 3042 | 2013/5/9 | 2013/6/13 | 88 | 1 | 8 | 0 | 0 | 0 | 1 | 1 | 155 | 57.8 |
| 4 | 171 | 2011/10/3 | 2011/10/30 | 77 | 1 | 3 | 0 | 0 | 0 | 0 | 1 | 146 | 35.5 |
| 5 | 1075 | 2010/11/23 | 2010/12/17 | 73 | 2 | 3 | 0 | 0 | 0 | 0 | 1 | 157 | 52.9 |

図5-2 mutate を行う前

| | id | Admday | Discday | Age | Sex | Severity | DM | Stroke | MI | New_Treatment | Death | Height | Weight | Height_m |
|---|---|---|---|---|---|---|---|---|---|---|---|---|---|---|
| 1 | 2033 | 2010/12/2 | 2010/12/28 | 75 | 2 | 7 | 0 | 0 | 0 | 0 | 0 | 155 | 60.0 | 1.55 |
| 2 | 32 | 2012/8/16 | 2012/9/29 | 83 | 1 | 11 | 1 | 1 | 0 | 1 | 1 | 151 | 56.7 | 1.51 |
| 3 | 3042 | 2013/5/9 | 2013/6/13 | 88 | 1 | 8 | 0 | 0 | 0 | 1 | 1 | 155 | 57.8 | 1.55 |
| 4 | 171 | 2011/10/3 | 2011/10/30 | 77 | 1 | 3 | 0 | 0 | 0 | 0 | 1 | 146 | 35.5 | 1.46 |
| 5 | 1075 | 2010/11/23 | 2010/12/17 | 73 | 2 | 3 | 0 | 0 | 0 | 0 | 1 | 157 | 52.9 | 1.57 |

図5-3 mutate を行った後

```
data %>% mutate(X = 計算式 )
```

data　データフレーム
X　新たな変数名
計算式　変数を作る計算式

このままで新たな変数を追加したデータフレームは保存されていません。もとのデータフレームを新たな変数を含んだデータフレームに置き換えるには、最後に得られた結果をデータフレームに代入するという意味の“データフレーム名 <-”を行の最初に付け加えます。

```
df <- df %>%
  mutate(Height_m = Height/100)
```

tidyverse パッケージ群に含まれる glimpse() はデータ構造と内容を確認する関数です（第6章参照）。glimpse() を用いて変数の一覧を確認してみましょう。一番下に Height_m という変数が追加されていることがわかります。

```
df %>%
  glimpse()
Rows: 500
Columns: 25
$ id            <dbl> 1, 2, 3, 4, 5, 6, 7, 8, 9, 10, 11, 12, 13, 14, 15, 1...
$ Year          <dbl> 2010, 2012, 2012, 2011, 2013, 2010, 2014, 2011, 2012...
$ Admday         <chr> "2010/10/24", "2012/9/24", "2012/12/9", "2011/9/9", ...
$ Discday        <chr> "2010/11/5", "2012/10/3", "2012/12/14", "2011/9/19",...
$ New_Treatment <dbl> 0, 1, 1, 0, 1, 0, 1, 1, 0, 1, 0, 0, 1, 0, 0, 1, 0, 0...
$ Age           <dbl> 62, 82, 75, 78, 78, 68, 72, 71, 80, 72, 75, 63, 77, ...
$ Sex           <dbl> 2, 2, 2, 2, 2, 1, 2, 2, 2, 2, 2, 2, 2, 2, 2, 1, 2, 1...
$ Height        <dbl> 167, 156, 155, 153, 154, 157, 168, 154, 165, 152, 16...
$ Weight        <dbl> 75.8, 57.0, 61.2, 49.5, 52.5, 61.1, 64.3, 47.3, 61.9...
$ DM            <dbl> 0, 1, 0, 0, 0, 0, 0, 0, 1, 0, 0, 0, 0, 0, 0, 0, 0, 0...
$ Stroke        <dbl> 0, 0, 0, 0, 0, 0, 0, 0, 0, 0, 0, 0, 0, 0, 0, 0, 0, 0...
$ MI            <dbl> 0, 0, 0, 1, 0, 1, 0, 0, 0, 1, 0, 0, 0, 0, 0, 0, 0, 0...
$ Severity      <dbl> 2, 3, 2, 2, 8, 3, 1, 7, 11, 2, 6, 1, 2, 1, 1, 2, 1, ...
$ Death         <dbl> 0, 0, 0, 0, 0, 0, 0, 0, 1, 0, 0, 0, 0, 0, 0, 0, 0, 0...
$ LOS           <dbl> 13, 10, 6, 11, 15, 9, 19, 22, 15, 10, 7, 10, 13, 6, ...
$ Treatment_3cat <dbl> 2, 1, 1, 2, 1, 2, 1, 1, 2, 1, 2, 2, 1, 3, 3, 1, 2, 3...
$ pre1          <dbl> -4.3483485, 5.5934687, 6.9424774, 1.6532087, -0.9388...
$ pre2          <dbl> -2.95081859, 0.44854366, 1.62122564, 0.28893993, 0.1...
$ Height_m      <dbl> 1.67, 1.56, 1.55, 1.53, 1.54, 1.57, 1.68, 1.54, 1.65...
```

### ⑤ group_by(), summarize()

```
data %>%
  group_by(X) %>%
  summarize(Y =集計方法)
```

| | |
|---|---|
| data | データフレーム |
| X | 群分け変数 |
| Y | 集計結果の名称 |
| 集計方法 | 集計する関数 |

`group_by()` と、`summarize()` はセットで使うことで、**特定の列（＝変数）の値ごとにグループ化して集計**することができます。まず `group_by()` でグループ化し、続いて `summarize()` でグループごとの集計を行います。

例えば、`New_Treatment` ごとに、グループ化するイメージは図 5-4 のようになります。

| New_Treatment | LOS |
|---|---|
| 0 | 13 |
| 1 | 10 |
| 1 | 6 |
| 0 | 11 |
| 1 | 15 |
| 0 | 9 |
| 1 | 19 |
| 1 | 22 |
| 0 | 15 |
| 1 | 10 |

図5-4　New_Treatment によるグループ化

New_Treatment が 0 のグループ（青丸）、New_Treatment が 1 のグループ（青四角）をまず作り出します。次に各グループごとに LOS の平均、標準偏差、分散を求めます（図 5-5）。

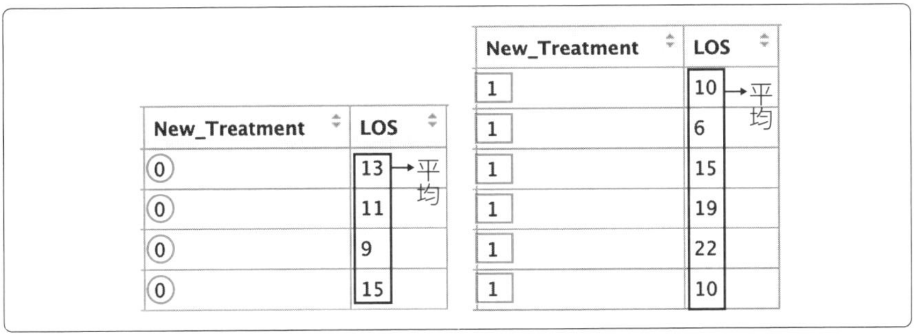

| New_Treatment | LOS |
|---|---|
| 0 | 13 |
| 0 | 11 |
| 0 | 9 |
| 0 | 15 |

平均

| New_Treatment | LOS |
|---|---|
| 1 | 10 |
| 1 | 6 |
| 1 | 15 |
| 1 | 19 |
| 1 | 22 |
| 1 | 10 |

平均

図5-5　New_Treatment ごとの平均値

図 5-5 のイメージの通りに、サンプルデータの New_Treatment 群ごとに、LOS（在院日数）の平均値、標準偏差、分散を求めてみましょう。

平均値は mean() 、標準偏差は sd() 、分散は var() で求めることができます。group_by() %>% summarize() と処理が 2 つ以上続くときもパイプを用いることが可能です。

```
# New_Treatment の 1 と 0 の群ごとに LOS の平均値を求める
df %>%
   group_by(New_Treatment) %>%
   summarize(mean_LOS = mean(LOS))
```

```
# A tibble: 2 x 2
  New_Treatment mean_LOS
          <dbl>    <dbl>
1             0     12.1
2             1     15.6
```

New_Treatment を行った群（1 の群）のほうが在院日数の平均値が 15.6 日と長いことがわかります。これが A くんの求めたかったものです。

New_Treatment の 0 と 1 の群ごとに、LOS の平均標準偏差、分散をまとめて求めることもできます。

```
# New_Treatment ごとに年齢の平均、標準偏差、分散をまとめて求める
df %>%
    group_by(New_Treatment) %>%
    summarize(mean_LOS = mean(LOS),
              sd_LOS = sd(LOS),
              var_LOS = var(LOS))
```

```
# A tibble: 2 x 4
  New_Treatment mean_LOS sd_LOS var_LOS
    <dbl>   <dbl> <dbl> <dbl>
1       0     12.1   6.37  40.5
2       1     15.6   8.03  64.5
```

同様に、New_Treatment の 1 と 0 の群ごとに、死亡数を求めてみます。group_by() で New_Treatment を分けて、その後 Death の和を計算します。

```
df %>%
  group_by(New_Treatment) %>%
  summarize(Death_n = sum(Death))
```

```
# A tibble: 2 x 2
  New_Treatment Death_n
          <dbl>   <dbl>
1             0      50
2             1      16
```

New_Treatment が 0 の群は死亡数が 50、1 の群は死亡数が 16 で、New_Treatment を行ったほうが死亡数は少なかったことがわかります。

ただ、大事なのは割合なので、死亡割合を求めます。New_Treatment が 1 の群の死亡割合は（群内の死亡数）÷（群の人数）です。群内の死亡数は上のように sum(Death) で求まります。群の人数は、group_by() で New_Treatment ごとに分けたあとに、n() で行数を数えることができます。

```
# gorup_by したあとに n() で、各群の人数を数える
df %>%
  group_by(New_Treatment) %>%
  summarize(Number = n())
```

```
# A tibble: 2 x 2
  New_Treatment Number
          <dbl>  <int>
1             0    321
2             1    179
```

```
# 各群の死亡割合は、(死亡数) ÷ (群の人数) で計算できる
df %>%
  group_by(New_Treatment) %>%
  summarize(Death_prop = sum(Death) / n())
```

```
# A tibble: 2 x 2
  New_Treatment Death_prop
          <dbl>      <dbl>
1             0     0.156
2             1     0.0894
```

`New_Treatment` が 0 の群、つまり新治療を行わなかった群のほうが、死亡割合が 15.6% と高いことがわかりました。

他に、`group_by()` と `min()`、`max()` を使ってデータクリーニングを行うことができます。

```
df2 <- df %>%
  group_by(New_Treatment) %>%
  mutate(max_los = max(LOS)) %>%
  filter(max_los == LOS) %>%
  ungroup()
```

```
df2 %>%
  glimpse()
Rows: 2
Columns: 25
Groups: New_Treatment [2]
$ id            <dbl> 155, 196
$ Year          <dbl> 2012, 2010
$ Admday        <chr> "2012/2/18", "2010/12/29"
$ Discday       <chr> "2012/4/14", "2011/2/14"
$ New_Treatment <dbl> 0, 1
～省略～
$ max_los       <dbl> 57, 48
```

group_by() の後に summarise() ではなく mutate() を使うと、同じデータフレームの一番最後に集計したものが追加されます。New_Treatment でグループ化して、それぞれの治療群の一番大きい入院日数を取得し、その一番大きい入院日数の行だけのデータが欲しいとします。

このとき、mutate() を使い、max_los=max(LOS) で LOS の最大のものをそれぞれの治療群に付与します。そして、filter() で max_los==LOS と条件式を書くことで、New_Treatment が 1 の群と 0 の群でそれぞれ最大入院日数をもつ人の行を取得できます。

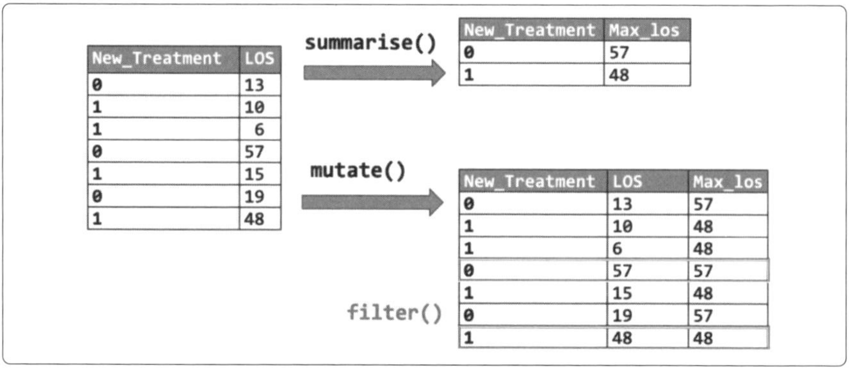

| New_Treatment | LOS |
|---|---|
| 0 | 13 |
| 1 | 10 |
| 1 | 6 |
| 0 | 57 |
| 1 | 15 |
| 0 | 19 |
| 1 | 48 |

summarise()

| New_Treatment | Max_los |
|---|---|
| 0 | 57 |
| 1 | 48 |

mutate()

| New_Treatment | LOS | Max_los |
|---|---|---|
| 0 | 13 | 57 |
| 1 | 10 | 48 |
| 1 | 6 | 48 |
| 0 | 57 | 57 |
| 1 | 15 | 48 |
| 0 | 19 | 57 |
| 1 | 48 | 48 |

filter()

また、group_by()を使って新しい変数を作成した場合、その後にデータクリーニングや解析を行うときにはungroup()をしてグルーピングを解除する必要があります。解除を忘れると意図しない挙動を起こしたりエラーが出たりすることがありますので、注意して行いましょう。

他にも、グループ化した中で順序をつけることができます。同一個人のデータが複数あった場合に、入院日付で並び替えて順序をつけ、一番最初の入院だけを選択するときなどに使います。

```
df <- df %>%
  group_by(id) %>%
  arrange(Admday) %>%
  mutate(rank = row_number()) %>%
  ungroup()
table(df$rank)
```

```
 1
500
```

group_by()で個人のidを指定し、arrange()で入院の日付の昇順で並び替えます。その後にrow_number()でグループ内の指定した並びの通りに通し番号を振ります。通し番号にはmutate()でrankという新しい変数を作成し、格納します。

出来上がったrankについてtable()で調べてみると、今回はrankが1の人だけが含まれているデータであることがわかりました。もし個人の一番最初の入院だけを拾いたい場合は、filter(rank==1)と追加することで、最初の入院の行だけを選択することが可能です。

### ⑥ rowwise()

これまでのデータクリーニングは列に対して行う作業が多かったのですが、同じ行の複数の列に対してデータクリーニングを行いたいときには

rowwise() が便利です。

df の変数 pre1 と pre2 はこの患者さんが New_Treatment を受ける確率を別々のモデルで求めたものです（第 17 章傾向スコアに詳述）。

今までの列での作業と同様に、pre1 と pre2 のどちらか大きいほうを新しい max_pre という変数に格納しようと以下のコードを実行すると、意図していない挙動をします。

```
df <- df %>%
  mutate(max_pre = max(pre1, pre2))

df %>%
  glimpse()
```

```
$ max_pre            <dbl> 13.46572, 13.46572, 13.46572, 13.46572,
```

上のコードを実行すると、max_pre は以下のように pre1 と pre2 のすべての行の中から最大の値 ( 今回は 13.46572) を選択され、すべての行で同一の最大値が入力されてしまいます（図 5-6）。

| id | pre1 | pre2 |
|---|---|---|
| 1 | -4.3483485 | -2.9508186 |
| 2 | 5.59346867 | 0.44854366 |
| 3 | 6.94247741 | 1.62122564 |
| … | … | … |
| 228 | 13.4657189 | 3.890949124 |

| max_pre |
|---|
| 13.4657189 |
| 13.4657189 |
| 13.4657189 |
| 13.4657189 |
| 13.4657189 |

図5-6　意図しない結果

本来欲しいデータとしては、個人ごとに pre1 と pre2 のうち、最大の方の値です。この場合は、rowwise() を使って、行ごとの計算を行います。

```
df <- df %>%
  rowwise() %>%
  mutate(max_pre2 = max(pre1, pre2)) %>%
  ungroup()
df %>%
  arrange(id) %>%
  glimpse()
```

```
$ max_pre2      <dbl> -2.9508186, 5.5934687, 6.9424774
```

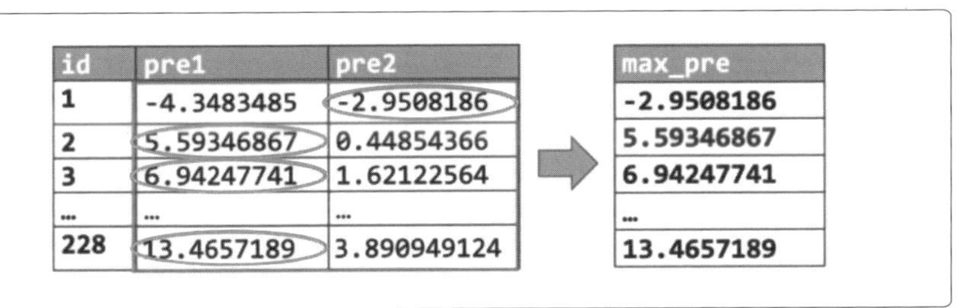

| id | pre1 | pre2 |
|---|---|---|
| 1 | -4.3483485 | -2.9508186 |
| 2 | 5.59346867 | 0.44854366 |
| 3 | 6.94247741 | 1.62122564 |
| … | … | … |
| 228 | 13.4657189 | 3.890949124 |

| max_pre |
|---|
| -2.9508186 |
| 5.59346867 |
| 6.94247741 |
| … |
| 13.4657189 |

rowwise() では他にも平均値をとる mean() や最小値をとる min() なども同様の挙動をします。rowwise() は group_by() と同じく、一回設定するとその後も同じように行での処理をします。解除するには rowwise() の場合も ungroup() を行ってください。

### ⑦ case_when()

```
case_when(A~B,
          C~D,
          E~F)
```

mutate() と組み合わせて、ダミー変数やカテゴリ変数の作成を行います。

case_when(A~B) は「A の条件のときに B を代入する」という関数です。

例えば「高齢者 (older)」という変数について、1 を高齢者、0 を高齢者ではないと定義した二値変数を作成します。

```
df <- df %>%
  mutate (older = case_when(Age >= 65 ~ 1, TRUE ~ 0))
```

older という変数を新しく作成し、65 歳以上は 1、それ以外は 0 という定義で設定します。case_when(A~B) の A では条件式を指定しますが、最後に "TRUE~" という条件を書いた場合は「それ以外」を意味します。欠損がある場合、"TRUE~" では欠損のものも含めて "0" に設定してしまうため、データクリーニングの際は気をつけてください。

最近のバージョンでは ".default=" という引数でも同様に、「それ以外」を意味することができます。

## 3 NA の取り扱い

データを tidyverse の read_csv() で読み込んだ場合、読み込まれたデータは tibble 型という形式となり、データの内容に欠損（何も入力されていない場合）は "NA" と表示されます。

右上のペーンにある df をクリックして中身を見てみると、薄いグレーで *NA* とイタリックで記載されているものが欠損と見なされています。

| Smoking | Alcohol |
|---|---|
| 1 | 1 |
| *NA* | *NA* |
| 0 | *NA* |
| 1 | *NA* |
| 2 | 1 |

今回提供しているサンプルデータはデータクリーニングされた後のものなので、きれいなデータになっています。しかし、実際に臨床で得られたデータには、欠損が存在することがほとんどです。

そのため欠損をどのように扱うのか、取り決めしておく必要があります。

まず、本当は欠損であるにもかかわらず、欠損としてデータを読み込めていないことがありますので、データの読み込み時の方法を示します。

### ① もともとのデータでは特定の記号や数字が欠損を示している

RではNAが欠損ですが、STATAでは".(ピリオド)"、SQLでは"NULL"など、欠損を示す文字は使用しているソフトウェアによって異なります。

この場合は、データを読み込むときに、今回のデータの欠損がどのような文字で定義されているのかを記す必要があります。

28ページに記載がある通り、read_csv()の引数にna= c(".", "NULL")と指定することで、ピリオドとNULLを欠損として読み込むことができます。

デフォルトでは""という何も入力されていない状態と"NA"をNAと認識します。

### ② 9や0などの数字が欠損を示している

```
na_if(var, x)
```

| | |
|---|---|
| var | 変数名 |
| x | NAに置換したい文字や数値 |

①の場合のように、すべての変数に共通して何かの文字列が欠損を示している場合は読み込むときに一括で設定できますが、変数ごとで固有の欠損ルールがある場合は、注意が必要です。

変数Smokingは、タバコを吸ったことがないを0、以前吸っていたが現在は吸っていないを1、現在吸っているを2と定義した変数です。Smokingでは情報を聞き忘れた、記録し忘れたときに9と記録するように定義されています。

ここで、①と同じように na="9" とコードを書いた場合、エラーを引き起こします。

```
df <- read_csv("R_book_data.csv", na = "9")
df %>%
  select(LOS, Smoking) %>%
  glimpse()
```

```
$ LOS          <dbl> 13, 10, 6, 11, 15, NA, 19, 22, 15, 10, 7, 10…
$ Smoking      <dbl> 1, NA, 0, 1, 2, 0, 1, 2, 0, 0, 1, 2…
```

この場合、Smoking は意図した通り、9 が欠損として認識されており、NA と置換されています。しかし、在院日数である LOS を見てみると、df では欠損がないのですが、df_NA では欠損が出現しました。LOS は連続変数で 1 以上の整数をとる変数であり、在院日数 9 日が欠損となったためです。

この場合は、読み込むときの設定では NA を指定することができませんので、別の方法を用います。

```
df <- read_csv("R_book_data.csv")
df <- df %>%
  mutate(Smoking2 = na_if(Smoking, 9))
df %>%
  select(Smoking, Smoking2) %>%
  glimpse()
```

```
Rows: 500
Columns: 2
$ Smoking      <dbl> 1, 9, 0, 1, 2, 0, 1, 2, 0, 0…
$ Smoking2     <dbl> 1, NA, 0, 1, 2, 0, 1, 2, 0, 0…
```

na_if() は、na_if( 変数、欠損を示す数字や文字 ) で、変数の中の指定した数字や文字を NA と認識します。上記の例では Smoking という変数の 9 という数値を NA に置換するという意味です。

③ 欠損が0と同義である

```
replace_na(var, x)
```

| | |
|---|---|
| var | 変数名 |
| x | NA から置換したい文字や数値 |

次は変数 Alcohol のデータクリーニングを行います。各カテゴリーの人数を調べるためには table() を使います。この変数について glimpse() と table() で調べてみると 1 と欠損しかないことがわかります。table() では、引数に useNA="ifany" と追加することで、NA がある場合には NA を表記することができます。

```
table(df$Alcohol, useNA = "ifany")
```

```
  1 <NA>
126  374
```

Alcohol は「週に 1 回以上お酒を飲みますか？」という質問に対する回答であり、当てはまる人が 1 と記録されており、当てはまらない人には何も記録しないという変数定義です。

この場合は、NA は欠損（測定されていない）ではなく、実際は 0 を意味する変数です。

```
df <- df %>%
  mutate(Alcohol2 = replace_na(Alcohol, 0))
table(df$Alcohol2, useNA = "ifany")
```

```
  0   1
374 126
```

replace_na() は replace_na( 変数 , 置換後の数字や文字 ) で NA を指定した数字や文字に置換することができます。今回は Alcohol の NA を 0 に置換して、Alcohol2 という新しい変数を作成しました。

ただし、この場合は本当は欠損の場合も 0 として認識されてしまうことに注意してください。

## 4 連続変数のカテゴリー化

年齢を若い順に3カテゴリーに分類したい状況を想定します。まず、今使っているデータフレームの年齢分布を、summary() で確認します（第6章89ページ参照）。

```
summary(df$Age)
```

```
  Min. 1st Qu.  Median    Mean 3rd Qu.    Max.
  54.0    70.0    75.0    74.9    79.0    91.0
```

54歳（Min）から91歳（Max）まで分布していることがわかりました。この Age 列の中身を以下の3通りの方法でカテゴリー化することを考えます。
①各カテゴリーの人数が等しくなる： cut_number()
②各カテゴリーの幅 (range) が等しくなる： cut_interval()
③各カテゴリーの幅を自分で設定する： case_when()

### ① cut_number()

各カテゴリー内の人数が等しくなるようにカテゴリー化する

```
cut_number(n, labels)
```

| | |
|---|---|
| n | 分割するカテゴリー数 |
| labels | 各カテゴリーの名称 |

```
df$Age %>%
  cut_number(n = 3)
```

```
...
[481] (78,91] (78,91] (78,91] (78,91] (72,78] [54,72] [54,72] (72,78]
[489] (72,78] [54,72] (78,91] (78,91] [54,72] (72,78] (72,78] [54,72]
[497] (78,91] [54,72] [54,72] (78,91]
Levels: [54,72] (72,78] (78,91]
...
```

となっています。これは、
・54 以上 72 以下
・72 より大きく 78 以下
・78 より大きく 91 以下
の 3 カテゴリーに分類されたことを表しています。

各カテゴリーの人数を調べるためには、`table()` を使います。

```
df$Age %>%
  cut_number(n = 3) %>%
  table()
```

```
[54,72] (72,78] (78,91]
    170     194     136
```

このデータの場合、170 人、194 人、136 人の 3 カテゴリーへ分類されました（ちなみに、72 歳が 25 人、78 歳が 34 人と重複があるため、各カテゴリーの人数は完全に同数とはなりません）。

さらに、各カテゴリーのラベル名をつけたい場合は、`labels` オプションを用います。複数のラベルは `c()` で指定します（第 13 章ベクトル参照）。

```
df$Age %>%
  cut_number(n = 3, labels = c("young", "middle", "old"))
```

```
...
```

```
[481] old    old    old    old    middle young  young  middle middle
young
[491] old    old    young  middle middle young  old    young  young  old
Levels: young middle old
...
```

カテゴリーの名前がyoung，middle，oldの３つに変更されたことがわかります。

以上を踏まえて、category_equalnumという新たな列を加え、glimpse()（87ページ参照）で確認してみます。

```
df <- df %>%
  mutate(category_equalnum = cut_number(Age, n = 3,
         labels = c("young","middle", "old")))

df %>%
  glimpse()
```

```
Rows: 500
Columns: 27
$ id            <dbl> 1, 2, 3, 4, 5, 6, 7, 8, 9, 10, 11, 12, 13, 14, 15...
$ Year          <dbl> 2010, 2012, 2012, 2011, 2013, 2010, 2014, 2011, 2...
$ Admday        <chr> "2010/10/24", "2012/9/24", "2012/12/9", "2011/9/9...
$ Discday       <chr> "2010/11/5", "2012/10/3", "2012/12/14", "2011/9/1...
$ New_Treatment <dbl> 0, 1, 1, 0, 1, 0, 1, 1, 0, 1, 0, 0, 1, 0, 0, 1, 0...
$ Age           <dbl> 62, 82, 75, 78, 78, 68, 72, 71, 80, 72, 75, 63, 7...
$ Sex           <dbl> 2, 2, 2, 2, 2, 1, 2, 2, 2, 2, 2, 2, 2, 2, 2, 1, 2...
$ Height        <dbl> 167, 156, 155, 153, 154, 157, 168, 154, 165, 152,...
$ Weight        <dbl> 75.8, 57.0, 61.2, 49.5, 52.5, 61.1, 64.3, 47.3, 6...
$ DM            <dbl> 0, 1, 0, 0, 0, 0, 0, 0, 1, 0, 0, 0, 0, 0, 0, 0, 0...
```

```
$ Stroke           <dbl> 0, 0, 0, 0, 0, 0, 0, 0, 0, 0, 0, 0, 0, 0, 0, 0, 0...
$ MI               <dbl> 0, 0, 0, 1, 0, 1, 0, 0, 0, 1, 0, 0, 0, 0, 0, 0, 0...
$ Severity         <dbl> 2, 3, 2, 2, 8, 3, 1, 7, 11, 2, 6, 1, 2, 1, 1, 2, ...
$ Death            <dbl> 0, 0, 0, 0, 0, 0, 0, 0, 1, 0, 0, 0, 0, 0, 0, 0, 0...
$ LOS              <dbl> 13, 10, 6, 11, 15, 9, 19, 22, 15, 10, 7, 10, 13, ...
$ Treatment_3cat   <dbl> 2, 1, 1, 2, 1, 2, 1, 1, 2, 1, 2, 2, 1, 3, 3, 1, 2...
$ pre1             <dbl> -4.3483485, 5.5934687, 6.9424774, 1.6532087, -0.9...
$ pre2             <dbl> -2.95081859, 0.44854366, 1.62122564, 0.28893993, ...
$ Height_m         <dbl> 1.67, 1.56, 1.55, 1.53, 1.54, 1.57, 1.68, 1.54, 1...
$ category_equalnum <fct> young, old, middle, middle, middle, young, young,...
```

② cut_interval()

各カテゴリーの幅（range）が等しくなるようにカテゴリー化する

```
cut_interval(n, labels)
```

| | |
|---|---|
| n | 分割するカテゴリー数 |
| labels | 各カテゴリーの名称 |

```
df$Age %>%
  cut_interval(n = 3)
```

```
...
[491] (78.7,91]    (78.7,91]    (66.3,78.7] (66.3,78.7] (66.3,78.7]
[496] [54,66.3]    (78.7,91]    (66.3,78.7] (66.3,78.7] (78.7,91]
Levels: [54,66.3] (66.3,78.7] (78.7,91]
...
```

各カテゴリーは、約 12.3 の幅で均一に分類されていることがわかります。先程と同様に各カテゴリー内の人数を計算すると、カテゴリー間で大きく人数が異なることがわかります。

```
df$Age %>%
  cut_interval(n = 3) %>%
  table()
```

```
 ...
 [54,66.3] (66.3,78.7]    (78.7,91]
        36         328          136
```

以上を踏まえて、category_equalrangeという新たな列を加え、glimpse()で確認してみます。

```
df <- df %>%
  mutate(category_equalrange = cut_interval(Age, n = 3,
    labels = c("young", "middle", "old")))

df %>%
  glimpse()
```

```
Rows: 500
Columns: 28
$ id                <dbl> 1, 2, 3, 4, 5, 6, 7, 8, 9, 10, 11, 12, 13, 1…
$ Year              <dbl> 2010, 2012, 2012, 2011, 2013, 2010, 2014, 20…
$ Admday            <chr> "2010/10/24", "2012/9/24", "2012/12/9", "201…
$ Discday           <chr> "2010/11/5", "2012/10/3", "2012/12/14", "201…
$ New_Treatment     <dbl> 0, 1, 1, 0, 1, 0, 1, 1, 0, 1, 0, 0, 1, 0, 0,…
$ Age               <dbl> 62, 82, 75, 78, 78, 68, 72, 71, 80, 72, 75, …
$ Sex               <dbl> 2, 2, 2, 2, 2, 1, 2, 2, 2, 2, 2, 2, 2, 2, 2,…
$ Height            <dbl> 167, 156, 155, 153, 154, 157, 168, 154, 165,…
$ Weight            <dbl> 75.8, 57.0, 61.2, 49.5, 52.5, 61.1, 64.3, 47…
$ DM                <dbl> 0, 1, 0, 0, 0, 0, 0, 0, 1, 0, 0, 0, 0, 0, 0,…
$ Stroke            <dbl> 0, 0, 0, 0, 0, 0, 0, 0, 0, 0, 0, 0, 0, 0, 0,…
```

```
$ MI                  <dbl> 0, 0, 0, 1, 0, 1, 0, 0, 0, 1, 0, 0, 0, 0, 0,…
$ Severity            <dbl> 2, 3, 2, 2, 8, 3, 1, 7, 11, 2, 6, 1, 2, 1, 1…
$ Death               <dbl> 0, 0, 0, 0, 0, 0, 0, 0, 1, 0, 0, 0, 0, 0, 0,…
$ LOS                 <dbl> 13, 10, 6, 11, 15, 9, 19, 22, 15, 10, 7, 10,…
$ Treatment_3cat      <dbl> 2, 1, 1, 2, 1, 2, 1, 1, 2, 1, 2, 2, 1, 3, 3,…
$ pre1                <dbl> -4.3483485, 5.5934687, 6.9424774, 1.6532087,…
$ pre2                <dbl> -2.95081859, 0.44854366, 1.62122564, 0.28893…
$ Height_m            <dbl> 1.67, 1.56, 1.55, 1.53, 1.54, 1.57, 1.68, 1.…
$ category_equalrange <fct> young, old, middle, middle, middle, middle, …
```

③ case_when()

各カテゴリーの幅を自分で設定する

case_when() は前述（57 ページ）の通り、条件を指定して新しい変数を作成することができる関数です。

今回は、51〜70 歳、71〜80 歳、81〜100 歳の 3 カテゴリーに分類し、これをデータフレームの新たな列 category_manual として加えます。

```
df <- df %>%
  mutate(category_manual =
       case_when(Age > 50 & Age <= 70 ~ "51_70",
                 Age > 70 & Age <= 80 ~ "71_80",
                 Age > 80 & Age <= 100 ~ "81_100"))
```

最後に、各カテゴリーの人数を計算しましょう。

```
df$category_manual %>%
  table()
```

```
...
 51_70  71_80 81_100
   126    292     82
```

## 5 日付データの取り扱い

### ① 日付データ

日付の取り扱いは lubridate パッケージを利用します。本パッケージは tidyverse パッケージ群に含まれているため、tidyverse を呼び出していれば、lubridate のインストールおよび呼び出しは不要です。

まず、単純な例で考えます。day1 に 2018 年 1 月 1 日、day2 に 2018 年 8 月 15 日という日付を表す「文字列」を作成します。

```
day1 <- "20180101"
day2 <- "20180815"
```

これでは単なる文字列であり、R は「日付」として認識してくれません。例えば、2018 年 1 月 1 日から 2018 年 8 月 15 日までの期間を計算したいときに、

```
day2 - day1  # これは実行不可能
```

と実行しても、day1，day2 は両方とも文字列のため引き算を実行することができません。そこで、ymd() を使います。ymd は year，month，day の略です。

```
day1 <- ymd(day1)
day2 <- ymd(day2)
day1
day2
```

```
[1] "2018-01-01"
[1] "2018-08-15"
```

表示結果にハイフンが挿入され、day1，day2 とも日付形式に変換されたこ

とがわかります。なお、class() はデータ型を調べる際に利用します（第13章参照）。

```
class(day1)
```

```
[1] "Date"
```

Date型になったことがわかります。これで day1 と day2 の引き算をすることができます。

```
day2 - day1
```

```
Time difference of 226 days
```

2018年1月1日から2018年8月15日までの期間は、226日であることがわかりました。

サンプルデータを使用して日付データの変換を行ってみましょう。Admday（入院日）と Discday（退院日）から在院日数を計算することができます。そこで新たに在院日数の列 LOS_2 を作ることを目標とします。もともと LOS 列はサンプルデータに入っていますが、練習のため自分でも作ってみましょう。

まず、Admday と Discday を Date 型に変換します。後の解析で使用する場合、df は上書きしておきます。

```
df <- df %>%
  mutate(Admday = ymd(Admday),
         Discday = ymd(Discday))
df
```

```
# A tibble: 500 x 29
      id  Year Admday     Discday    New_Treatment   Age   Sex Height
   <dbl> <dbl> <date>     <date>             <dbl> <dbl> <dbl>  <dbl>
 1     1  2010 2010-10-24 2010-11-05             0    62     2    167
 2     2  2012 2012-09-24 2012-10-03             1    82     2    156
 3     3  2012 2012-12-09 2012-12-14             1    75     2    155
 4     4  2011 2011-09-09 2011-09-19             0    78     2    153
 5     5  2013 2013-01-12 2013-01-26             1    78     2    154
 6     6  2010 2010-08-06 2010-08-14             0    68     1    157
 7     7  2014 2014-02-21 2014-03-11             1    72     2    168
 8     8  2011 2011-11-02 2011-11-23             1    71     2    154
 9     9  2012 2012-07-19 2012-08-02             0    80     2    165
10    10  2014 2014-03-19 2014-03-28             1    72     2    152
# ・490 more rows
# ・11 more variables: Stroke <dbl>, MI <dbl>,...
# ・Use `print(n = ...)` to see more rows
```

Admday と Discday の下に <date> と表示されており、もともとの文字列からDate型に変わったことがわかります。あとは、Discday と Admday の差をとって 1 を足すことで入院日数が求まります。

```
df <- df %>%
  mutate(LOS_2 = (Discday - Admday) + 1)
```

glimpse() を用いて、新たな列に LOS_2 が追加されたことを確認しましょう。

```
df %>%
  glimpse()
```

```
Rows: 500
Columns: 30
$ id              <dbl> 1, 2, 3, 4, 5, 6, 7, 8, 9, 10, 11, 12, 13, 14, 15…
$ Year            <dbl> 2010, 2012, 2012, 2011, 2013, 2010, 2014, 2011, 2…
$ Admday          <date> 2010-10-24, 2012-09-24, 2012-12-09, 2011-09-09, …
$ Discday         <date> 2010-11-05, 2012-10-03, 2012-12-14, 2011-09-19, …
$ New_Treatment   <dbl> 0, 1, 1, 0, 1, 0, 1, 1, 0, 1, 0, 0, 1, 0, 0, 1, 0…
$ Age             <dbl> 62, 82, 75, 78, 78, 68, 72, 71, 80, 72, 75, 63, 7…
$ Sex             <dbl> 2, 2, 2, 2, 2, 1, 2, 2, 2, 2, 2, 2, 2, 2, 2, 1, 2…
$ Height          <dbl> 167, 156, 155, 153, 154, 157, 168, 154, 165, 152,…
$ Weight          <dbl> 75.8, 57.0, 61.2, 49.5, 52.5, 61.1, 64.3, 47.3, 6…
$ DM              <dbl> 0, 1, 0, 0, 0, 0, 0, 0, 1, 0, 0, 0, 0, 0, 0, 0, 0…
$ Stroke          <dbl> 0, 0, 0, 0, 0, 0, 0, 0, 0, 0, 0, 0, 0, 0, 0, 0, 0…
$ MI              <dbl> 0, 0, 0, 1, 0, 1, 0, 0, 0, 1, 0, 0, 0, 0, 0, 0, 0…
$ Severity        <dbl> 2, 3, 2, 2, 8, 3, 1, 7, 11, 2, 6, 1, 2, 1, 1, 2, …
$ Death           <dbl> 0, 0, 0, 0, 0, 0, 0, 0, 1, 0, 0, 0, 0, 0, 0, 0, 0…
$ LOS             <dbl> 13, 10, 6, 11, 15, 9, 19, 22, 15, 10, 7, 10, 13, …
$ Treatment_3cat <dbl> 2, 1, 1, 2, 1, 2, 1, 1, 2, 1, 2, 2, 1, 3, 3, 1, 2…
$ pre1            <dbl> -4.3483485, 5.5934687, 6.9424774, 1.6532087, -0.9…
$ pre2            <dbl> -2.95081859, 0.44854366, 1.62122564, 0.28893993, …
$ Height_m        <dbl> 1.67, 1.56, 1.55, 1.53, 1.54, 1.57, 1.68, 1.54, 1…
$ LOS_2           <drtn> 13 days, 10 days, 6 days, 11 days, 15 days, 9 da…
```

自分で作ったLOS_2の列と、もとからあるLOS列と一致していることがわかります。LOS_2列にはdaysという単位がついていますが回帰分析のアウトカムに利用する際にはデータ型を変換する必要があります。

その場合

```
df <- df %>%
  mutate(LOS_2 = as.integer(LOS_2))
```

を追加することでLOS_2は整数となり、回帰分析のアウトカムとして利用可能となります。

②月数 / 日数の計算（interval）

日付データを用いた計算には直接引き算で日数の差を計算することができますが、もう少し拡張性の高い記載方法もあります。

```
df <- df %>%
  mutate(day_dif = interval(start = ymd(Admday), end = ymd(Discday)) %>%
    time_length(unit = "day") %>%
    floor())
summary(df$day_dif)
   Min. 1st Qu.  Median    Mean 3rd Qu.    Max.
   3.00    8.00   11.00   12.37   15.00   56.00
```

interval() は日付型と日付型の期間の幅を明示する関数です。

interval(start= 日付の開始日、end= 日付型の終了日 ) を指定します。

上記の例では Admday ～ Discday を interval 型とみなしています。この時点でのデータは下記のような形式をとります。

```
1 2010-10-24 UTC--2010-11-05 UTC
2 2012-09-24 UTC--2012-10-03 UTC
3 2012-12-09 UTC--2012-12-14 UTC
```

interval 型の設定をした後に、time_length(unit = "day") の関数を使うと、interval の時間の長さを取得します。unit = "day" とすると interval の日数を、unit="month" にすると interval の月数を取得します。生年月日のデータがあり、観察開始時点の年齢を計算したいときには、unit="year" とすると interval の年数を取得できます。日数、月数、年数は整数を取得したいことが多いため、その場合は floor() 関数で小数点以下を切り捨てします。

interval 型の利点として、例えばある処置 A が行われた日付である dateA が基準期間 interval_base に含まれているかどうかを調べる、といった使い方が可能です。

dateA %within% interval_base と書くと、dateA が interval_base に含まれているときには TRUE が返ってきて、含まれていないときは FALSE が返ってきます。

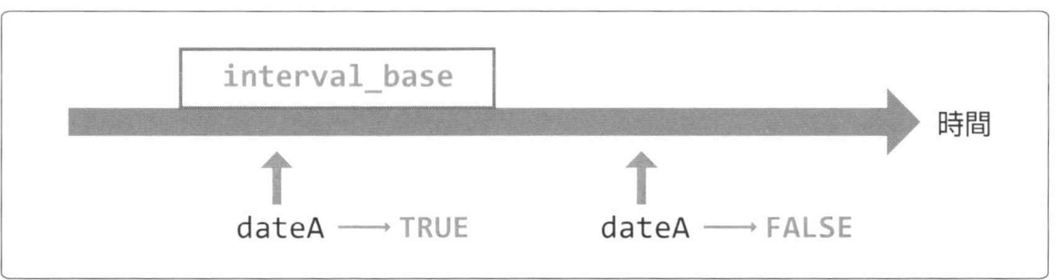


interval と interval が重なり合っているか調べる方法もあり、int_overlap(interval1, interval2) として、重なっている部分がある場合は TRUE、なければ FALSE が返されます。

## 6 文字列の取り扱い

データクリーニングでは、文字型のデータ列に対して、さまざまな処理を行う必要が出てくるでしょう。R では stringr パッケージを利用することで、多くの作業を簡単に行うことができます。stringr は tidyverse に含まれていますので、改めて library() をする必要はありません。

stringr では非常に多くの便利な関数が存在しますが、臨床研究で使用する頻度が高い関数を紹介します。

### ① str_sub()

文字列の中から一部の文字を抽出するときに使います。

例えば、患者の保険者番号をカルテから取得できたとします。保険者番号は8桁の文字列で構成されていますが、法別番号2桁、都道府県番号2桁、保険者（市町村）別番号3桁、検証番号1桁です。この8桁の数字から、都道府県を取得したい場合は、文字列とみなし、一部の文字を抽出します。

```
# df の hoken_cd に 8 桁の保険者番号が記載されています
# hoken_cd の左から 3 桁目と 4 桁目が都道府県番号なので抽出する
df <- read_csv("R_book_data.csv")
df <- df %>%
  mutate(prefecture = str_sub(hoken_cd, start = 3, end = 4))
table(df$prefecture)
01 02 03 04 05 06 07 08 09 10
11 11 11 11 11 11 11 11 11 11
```

str_sub() は str_sub( 変数、start= 文字列の何文字目から、end= 文字列の何文字目まで ) という指定をします。今回は3桁目から4桁目まで抽出するため、start=3, end=4 と指定しました。

### ② str_replace(), str_replace_all()

文字列に特定の文字を含むときに、それを別のものに置換するときに使います。臨床研究でよく使うのは、空白を除外するときや意図しない文字が含まれていて汚いデータになっているときなどです。データにある SOAP という変数は電子カルテに記載されている情報を表しており、S(Subject, 主観的情報 )、O(Object, 客観的情報 )、A(Assessment, 評価 )、P(Plan, 計画 ) のことです。この文字列の情報からスペースを除く作業を行います。

```
df <- df %>%
  mutate(SOAP2 = str_replace_all(string = SOAP, pattern = " ",
         replacement = ""))
```

```
df %>%
  glimpse()
```

```
$ SOAP        <chr> "S: AAA, O:BBB, A:CCC, P:DDD", "S: AAA, O:B…
$ SOAP2       <chr> "S:AAA,O:BBB,A:CCC,P:DDD", "S:AAA,O:BBB,A:C…
```

str_replace_all() 関数は、str_replace_all(string= 変数 , pattern= 置換したい文字 , replacement = 置換後の文字 ) と引数を指定します。今回は置換したい文字がスペース " " であり、置換後は何もない状態なので "" と指定します。str_repalce() の場合は、一致した最初の文字のみ置換します。

また、文字の置換を行うときは str_replace() を用いますが、今回のようにスペースの削除を行う場合は、str_remove(), str_remove_all() でも同じ挙動をします。

```
df <- df %>%
  mutate(SOAP3 = str_remove_all(string = SOAP, pattern = " "))
df %>%
  glimpse()
```

```
$ SOAP        <chr> "S: AAA, O:BBB, A:CCC, P:DDD", "S: AAA, O:B…
$ SOAP2       <chr> "S:AAA,O:BBB,A:CCC,P:DDD", "S:AAA,O:BBB,A:C…
$ SOAP3       <chr> "S:AAA,O:BBB,A:CCC,P:DDD", "S:AAA,O:BBB,A:C…
```

### ③ str_pad()

文字列にパディングをするのに使います。パディングとは、詰め物をするという意味であり、プログラミングではデータを一定の長さに整形するために、空白の部分にデータを挿入することを指します。

医療系研究で最もよく使うのは、データに含まれる 0( ゼロ ) が消えてしまったとき (0 落ち ) です。今回のデータには保険者番号が含まれますが、0 から始まる番号のとき、数値型と認識されてしまった場合や、エクセルで一度開いて保存した場合などに先頭の 0 がなくなってしまいます。このときに、

①のように文字列の処置をする場合、「先頭から何文字目から何文字目」というようにデータを抽出しても、行によっては意図していない部分を抽出してしまう可能性があります。

表5-2　0 落ちの例

| hoken_cd | hoken_cd_num | 本当の prefecture | 0 落ちしているときの prefecture |
|---|---|---|---|
| 34181681 | 34181681 | 18 | 18 |
| 72243642 | 72243642 | 24 | 24 |
| 03353146 | 3353146 | 35 | 53 |

３行目のように 0 落ちしてしまった部分を 0 で埋める作業を str_pad() で行うことができます。

```
# df の hoken_cd_num は保険者番号が 0 落ちした状態です
df <- df %>%
  mutate(hoken_pad = str_pad(hoken_cd_num, width = 8,
         side = "left", pad = "0"))
df$hoken_pad %>%
  glimpse()
chr [1:500] "34181681" "72243642" "03353146" "32311574" "33390745" ...
```

str_pad() は、str_pad( 変数、width= 文字列の長さ、side= パディングするところ、pad= 空白を何で埋めるか ) で引数を指定します。文字列の長さは、空白で埋めたい部分を含む長さであり、今回は８桁の文字列ですので、width=8 と指定します。side ではパディングする方向を指定します。今回は先頭の 0 落ちを埋めたいため、side="left" と指定します。もし右側に埋めたい場合は side="right" と指定します。pad= は空白部分を何で埋めるかを指定します。今回は 0 で埋めたいので、pad="0"( 文字列のため、"" で囲う必要があります ) と指定します。

④ str_c()

文字列を結合させるのに使います。例えば、患者 ID として病院内で通し番号を使用する場合、複数の施設からデータを収集すると、同じ ID の対象者が複数現れ、ID だけでは個人を同定できない状況になります。その場合は、病院コード (hosp_cd) と患者 ID(id) を結合して患者を一意にするユニーク ID を作成します。

```
df <- df %>%
  mutate(ptid = str_c(hosp_cd, id, sep = ""))
df %>%
  glimpse()
```

```
# id, hosp_cd, ptid のみ抜粋
$ id          <dbl> 1, 2, 3, 4, 5, 6, …
$ hosp_cd     <dbl> 579, 266, 701, 701, 266, 290, 266, …
$ ptid        <chr> "5791", "2662", "7013", "7014",…
```

str_c() は、str_c( 変数 1, 変数 2, sep=) で引数を設定します。結合する文字列は 2 つ以上でも動きますので、str_c( 変数 1、変数 2、変数 3,…) といくつでも羅列することができます。sep= は結合する変数と変数の間を何でつなぐかを指定します。sep="" は空白なく連結し、sep="_" と指定するとアンダースコアで連結します。

⑤ str_split()

文字列を複数の列に分割するときに使います。きれいなデータではあまり使うことはないかもしれませんが、1 つの列に複数の情報が含まれている場合があります。

SOAP は S,O,A,P がそれぞれ別の変数として存在していたら良いのですが、1 つの列にまとまっており、"S: AAA, O:BBB, A:CCC, P:DDD" という形式で入力されています。ここでは余分なスペースを除去した SOAP2 を用いて、分割を行います。

```
temp <- df$SOAP2 %>%
  str_split(pattern = ",", simplify = TRUE) %>%
  as_tibble() temp %>%
  glimpse()
```

```
Rows: 500
Columns: 4
$ V1 <chr> "S:AAA", "S:AAA", "S:AAA", "S:AAA", "S:AAA"…
$ V2 <chr> "O:BBB", "O:BBB", "O:BBB", "O:BBB", "O:BBB"…
$ V3 <chr> "A:CCC", "A:CCC", "A:CCC", "A:CCC", "A:CCC"…
$ V4 <chr> "P:DDD", "P:DDD", "P:DDD", "P:DDD", "P:DDD"…
```

str_split() は str_split(変数名、pattern=区切りたい文字、simplify=返す型の設定)という引数の設定を行います。str_split の作業は今までの変数を新しく mutate() で作成するものとは異なり、1つの列について pattern= で指定した文字で区切った別のテーブルができる方法です。

df$SOAP2 という変数で、,(カンマ)があるところですべて区切るように指定し、simplify=TRUE にすることで、マトリックス型という形式のテーブルが出来上がります。統計解析を行うには df に上記で作成した列を追加していく必要があるため、as_tibble() で tibble 型に変更します。変数名を指定しないため、新しくできた変数は V(variable, 変数)1~V4 までの変数名が自動でつけられています。

この temp テーブルを df に結合するには bind_cols() を使います。(84ページ参照)

## 7 データの変形と結合

### ① pivot_longer と pivot_wider

データ全体の構造を整形するときに、tidyr パッケージに含まれる pivot_longer() と pivot_wider() を活用すると非常に便利です。tidyr は

tidyverse に含まれているパッケージですので、改めて library() する必要はありません。

long 型とは縦持ちデータと言われている形式であり、一人当たり複数の行が存在するようなデータです。wide 型は横持ちデータと言われるデータであり、一人一行で列が複数あるような形式です。long 型から wide 型に変換するのに pivot_wider()、wide 型から long 型に変換するのに pivot_longer() を使います。

Long型

| id | period | drugA |
|---|---|---|
| 1 | before90 | 0 |
| 1 | before60 | 0 |
| 1 | before30 | 0 |
| 2 | before90 | 0 |
| 2 | before60 | 0 |
| 2 | before30 | 0 |
| 3 | before90 | 1 |
| 3 | before60 | 1 |
| 3 | before30 | 0 |

pivot_wider() ⇒

⇐ pivot_longer()

Wide型

| id | before90 | before60 | before30 |
|---|---|---|---|
| 1 | 0 | 0 | 0 |
| 2 | 0 | 0 | 0 |
| 3 | 1 | 1 | 0 |

図5-7 long 型と wide 型

図 5-7 は、R_book_data_long.csv のデータであり、id ごとに 3 つの period(before90, before60,before30) が存在し、それぞれの期間に drugA を服用していたかについてのデータです。このままでは解析に使えませんので、wide 型に変形し、df と結合する必要があります。

```
df_long <- read_csv("R_book_data_long.csv")
df_wide <- df_long %>%
  pivot_wider(names_from = "period",
              values_from = "drugA")
```

```
df_wide %>%
  glimpse()
```

```
Rows: 500
Columns: 4
$ id       <dbl> 1, 2, 3, 4, 5, 6, 7, 8, 9, 10, 1…
$ before90 <dbl> 0, 0, 1, 0, 0, 1, 1, 0, 0, 0, 0,…
$ before60 <dbl> 0, 0, 1, 0, 1, 1, 0, 0, 0, 0, 0,…
$ before30 <dbl> 0, 0, 0, 1, 1, 0, 0, 0, 1, 0, 0,…
```

pivot_longer(names_from= 列にする変数 , values_from= 実際にセルに入れるデータの変数 ) と引数を設定します。

pivot_longer() は pivot_wider() と反対の動きをするので以下のように指定します。

```
df_long2 <- df_wide %>%
  pivot_longer(cols = c(before90, before60, before30),
               names_to = "period",
               values_to = "drugA")
df_long2
```

```
# A tibble: 1,500 × 3
     id period   drugA
  <dbl> <chr>    <dbl>
1     1 before90     0
2     1 before60     0
3     1 before30     0
4     2 before90     0
5     2 before60     0
6     2 before30     0
7     3 before90     1
8     3 before60     1
```

```
 9     3 before30    0
10     4 before90    0
# i 1,490 more rows
# i Use `print(n = ...)` to see more rows
```

pivot_longer(cols= 縦持ちに変換する列 , names_to= cols で指定されたデータのカラム名に格納されている情報から新しくできる列の名前 , values_to = データが入る列の名前 ) と引数を指定します。

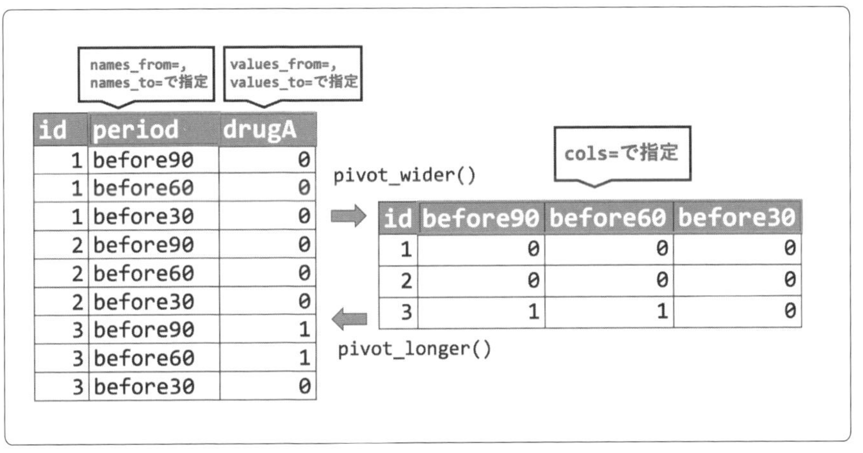


| id | period | drugA |
|---|---|---|
| 1 | before90 | 0 |
| 1 | before60 | 0 |
| 1 | before30 | 0 |
| 2 | before90 | 0 |
| 2 | before60 | 0 |
| 2 | before30 | 0 |
| 3 | before90 | 1 |
| 3 | before60 | 1 |
| 3 | before30 | 0 |

| id | before90 | before60 | before30 |
|---|---|---|---|
| 1 | 0 | 0 | 0 |
| 2 | 0 | 0 | 0 |
| 3 | 1 | 1 | 0 |

図5-8 pivot_wider と pivot_longer のイメージ

慣れるまでは少しイメージがしにくいですが、図 5-8 を参考に引数を指定してください。

### ②データセットの結合

1 つのデータセットのみを使ってデータクリーニングをすることは、実際のデータ解析では多くないでしょう。2 つ以上のデータセットを結合して 1 つのデータセットにする作業はいくつかの方法がありますのでご紹介します。

## 1) join

キー変数を指定して複数のデータセットを結合するのにはdplyrパッケージに含まれるjoinを使います。joinには複数ありますが、研究に使う場合はinner_join()とleft_join()を使う機会が多いでしょう。

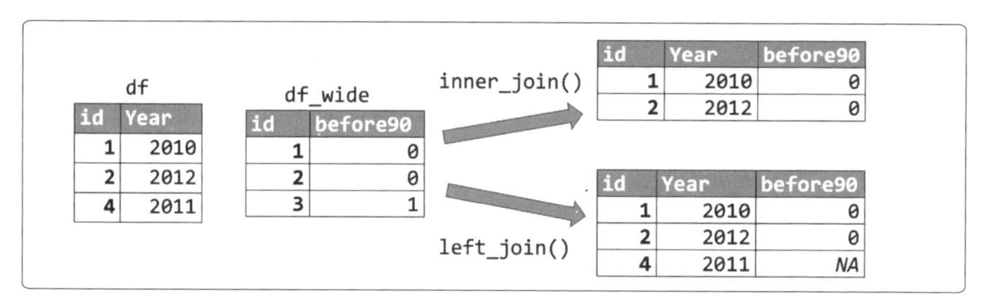


図5-9 joinのイメージ

図5-9はdfとdf_wideという2つのデータテーブルをidをキー変数に指定して結合させた場合です。inner_join()の場合はdfとdf_wideの両方にidがある行のみが残りますので、id=1とid=2の行のみが残ります。left_joinの場合は、dfのidが残り、df_wideの中でdfのidと一致したデータが結合し、存在しない場合(id=4)は、NA(欠損)が入力されます。

```
df <- read_csv("R_book_data.csv")
df_long <- read_csv("R_book_data_long.csv")
df_wide <- df_long %>%
  pivot_wider(names_from = "period", values_from = "drugA")

df <- left_join(df, df_wide, by = "id")
df %>%
  glimpse()
```

```
Rows: 500
Columns: 27
$ id            <dbl> 1, 2, 3, 4, 5, 6, 7, 8, 9, 10, 11, 12…
$ Year          <dbl> 2010, 2012, 2012, 2011, 2013, 2010…
~省略~
$ before90      <dbl> 0, 0, 1, 0, 0, 1, 1, 0, 0, 0, 0,…
```

```
$ before60      <dbl> 0, 0, 1, 0, 1, 1, 0, 0, 0, 0, 0,…
$ before30      <dbl> 0, 0, 0, 1, 1, 0, 0, 0, 1, 0, 0,…
```

`left_join()` や `inner_join()` では、`left_join(` データフレーム 1`,` データフレーム 2`, by=` キー変数 `)` で指定します。キー変数はダブルクオーテーションで変数名を囲う必要があります。

キー変数は複数のものやデータフレーム 1 とデータフレーム 2 で異なる変数名でも指定することができます。例えばデータフレーム 1 では `id`、データフレーム 2 では `ptid` と変数名が異なるものが中身が同じでキー変数にしたい場合は、

```
by = c("id" = "ptid")
```

と、`c(` キー変数 `1=` キー変数 `2)` で指定します。

また、データフレーム 1 では `id` と `Year`, データフレーム 2 では `ptid` と年と入っていてこの 2 つをキー変数としたい場合は、

```
by = c("id" = "ptid","Year" = "年")
```

と 2 つ以上の場合は **,（カンマ）**で区切って指定します。

`join` をした場合には、意図した通りに結合されているのかきちんと確認しましょう。例えば、行数が予想より増えている場合があるので、結合後 `glimpse()` でチェックをする必要があります。他に、データフレーム 1 とデータフレーム 2 に同じ列名が含まれる場合 ( 例えば `hospital`) で結合キー変数に指定しない場合、`hospital.x,hospital.y` というように、変数名が変更されてしまう場合があります。変数名が意図に反し変更されていないかも `glimpse()` でチェックをしましょう。

### 2) bind

キー変数を指定して結合する場合は `join` を使いますが、キー変数を指定せずにデータフレーム同士を結合する場合は `bind` を使います。

`dplyr` パッケージの `bind_rows()` は行の結合であり、`bind_cols()` は列の結合です。

```
# 結合するデータセットを作成する
df_1 <- df %>%
  select(id, Age)
df_2 <- df %>%
  select(Sex)
# 列を結合する
df_bc <- bind_cols(df_1, df_2)
df_bc %>%
  glimpse()
```

```
Rows: 500
Columns: 3
$ id  <dbl> 1, 2, 3, 4, 5, 6, 7,…
$ Age <dbl> 62, 82, 75, 78, 78, …
$ Sex <dbl> 2, 2, 2, 2, 2, 1, 2,…
```

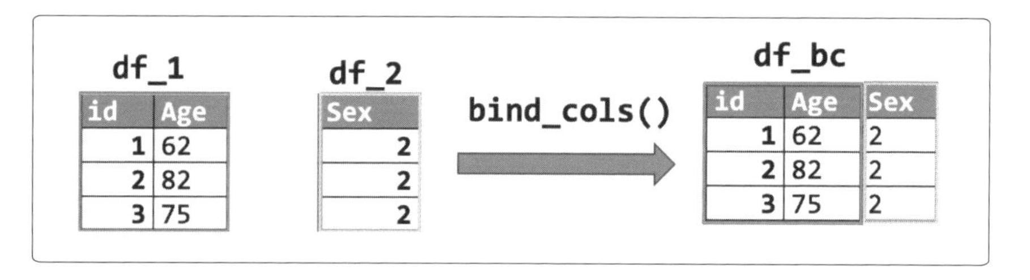


bind_cols() は、bind_cols( データフレーム 1, データフレーム 2) で横に結合し列を増やすことができます。

キー変数を指定していないため、そもそものデータフレームの持ち方には注意が必要です。

```
# 結合するデータセットを作成する
df_3 <- df %>%
  select(id, Severity) %>%
  filter(id %in% c(1, 2, 3))
df_4 <- df %>%
  select(id, DM) %>%
  filter(id %in% c(5, 6))
```

```
# 行を結合する
df_br <- bind_rows(df_3, df_4)
df_br %>%
  glimpse()
```

```
Rows: 5
Columns: 3
$ id       <dbl> 1, 2, 3, 5, 6
$ Severity <dbl> 2, 3, 2, NA, NA
$ DM       <dbl> NA, NA, NA, 0, 0
```

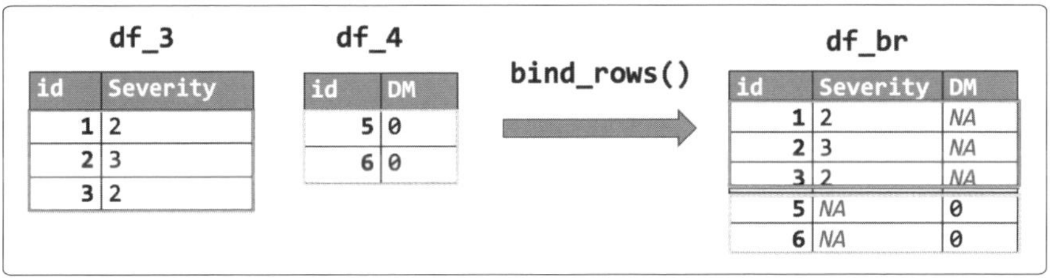

**df_3**

| id | Severity |
|---|---|
| 1 | 2 |
| 2 | 3 |
| 3 | 2 |

**df_4**

| id | DM |
|---|---|
| 5 | 0 |
| 6 | 0 |

**bind_rows()** →

**df_br**

| id | Severity | DM |
|---|---|---|
| 1 | 2 | *NA* |
| 2 | 3 | *NA* |
| 3 | 2 | *NA* |
| 5 | *NA* | 0 |
| 6 | *NA* | 0 |

bind_rows() は、bind_rows( データフレーム 1, データフレーム 2) で縦に結合し行を増やすことができます。bind_rows はデータフレーム 1 とデータフレーム 2 に同じ変数があれば、同じ列として行を増やします ( 今回の id です )。片方にしかない変数がある場合は、結合したデータフレームでは新しい変数が追加され、データがない部分には NA( 欠損 ) が埋められます。今回 df_3 には DM という変数がないため、df_3 に含まれている id=1 の行では、DM は NA となっています。

tidyverse パッケージをはじめとした R のパッケージには他にもさまざまな便利なものがありますが、まずは本章で使用したパッケージの操作を押さえてください。臨床研究のために収集したデータの処理のほとんどは本章で紹介した方法で対応可能です。

Column

## for loop

R だけではなく、多くのプログラミング言語に for loop 構文という書き方があります。これは 1 つの関数を繰り返して行うときに大変便利です。

```
x <- 0
for (i in 1:10){
    x <- x + i
}
x
```

基本の記載方法は上記のようになります。上記の文では、i というオブジェクトに 1 ～ 10 まで入れて x<-x+i という {} で囲った部分を 1 ～ 10 まで繰り返すという意味です。

つまり、

i=1 の x<-0+1 ( つまり x<-1) の後に、

i=2 の x<-x( この時点では x=1)+2( つまり x<-3),

i=3 の x<-x(3)+3 で x<-6… と i=10 まで計算を繰り返し、x=55 が最終的に得られる結果となります。

医療系のデータ解析で for loop 構文を必要とする場合はあまり多くありませんが、データクリーニングの際に必要になることがあります。例えば似たような構造の変数 1 と変数 2…変数 50 ですべて同じ処理を行いたいときなどです。for loop 構文を用いないと、すべてコピペをしてコードを羅列する必要があり、この作業は 1 つの変数だけを飛ばしてしまうなどのミスが起こる可能性があります。このようなときに for loop 構文でループ処理を行うと、数行のコードで実行することができます。少し難しいですが、使えると便利になりますのでレベルアップを目指したい方はチャレンジしてみてください。

第6章

# データの概要の確認

ポイント

- glimpse() でデータ全体を俯瞰する
- summary(), table() で各変数の分布を確認する
- ‘tableone’ パッケージで表を作成する

本章で必要なパッケージ　● tidyverse　● tableone

:「さぁデータクリーニングも終わったぞ。ついに解析だ！　さっそく回帰分析だ！」

:「早い、早いよ、A くん。まず集めたデータの平均、中央値、分散などの分布や頻度などを確認してみよう」

## 1　データの俯瞰と要約

データを手に入れると上の A くんのようにすぐ解析をしたくなるものです。

しかし、データ解析を始める前（さらに言うならデータクリーニング前）に、まず自分が扱っているデータについて

- どのような変数がデータに含まれるのか？（年齢、性別など）
- 変数はいくつあるのか？（＝列数）
- サンプルサイズはいくつか？（＝行数）
- 各変数の型は？
- 各変数の値の平均、分散は？

などを大まかに把握しておく必要があります。すべての変数の情報をコンパクトに出力する `glimpse()` でデータを俯瞰します。

```
glimpse(data)
```

data　変数の一覧を表示するデータフレーム

```
df <- read_csv("R_book_data.csv")
df %>%
  glimpse()
```

```
Rows: 500
Columns: 24
$ id            <dbl> 1, 2, 3, 4, 5, 6, 7, 8, 9, 10, 11, 12, 13, 14, 1...
$ Year          <dbl> 2010, 2012, 2012, 2011, 2013, 2010, 2014, 2011, ...
$ Admday        <chr> "2010/10/24", "2012/9/24", "2012/12/9", "2011/9/...
$ Discday       <chr> "2010/11/5", "2012/10/3", "2012/12/14", "2011/9/...
$ New_Treatment <dbl> 0, 1, 1, 0, 1, 0, 1, 1, 0, 1, 0, 0, 1, 0, 0, 1, ...
$ Age           <dbl> 62, 82, 75, 78, 78, 68, 72, 71, 80, 72, 75, 63, ...
$ Sex           <dbl> 2, 2, 2, 2, 2, 1, 2, 2, 2, 2, 2, 2, 2, 2, 2, 1, ...
$ Height        <dbl> 167, 156, 155, 153, 154, 157, 168, 154, 165, 152...
$ Weight        <dbl> 75.8, 57.0, 61.2, 49.5, 52.5, 61.1, 64.3, 47.3, ...
$ DM            <dbl> 0, 1, 0, 0, 0, 0, 0, 0, 1, 0, 0, 0, 0, 0, 0, 0, ...
$ Stroke        <dbl> 0, 0, 0, 0, 0, 0, 0, 0, 0, 0, 0, 0, 0, 0, 0, 0, ...
$ MI            <dbl> 0, 0, 0, 1, 0, 1, 0, 0, 0, 1, 0, 0, 0, 0, 0, 0, ...
$ Severity      <dbl> 2, 3, 2, 2, 8, 3, 1, 7, 11, 2, 6, 1, 2, 1, 1, 2,...
$ Death         <dbl> 0, 0, 0, 0, 0, 0, 0, 0, 1, 0, 0, 0, 0, 0, 0, 0, ...
$ LOS           <dbl> 13, 10, 6, 11, 15, 9, 19, 22, 15, 10, 7, 10, 13,...
~省略~
```

1) Rows は観測数（行の数）を、Columns は変数の数（列の数）を表します。df は 500 行×24 列のデータということがわかります。各変数は、データ型（第 13 章参照）と最初の数個の値が出力されています。

連続変数の要約を行うには summary() が便利です。最小値、最大値、平均値、中央地、四分位点がまとめて表示されます。

```
summary(x)
```

x　要約する変数

```
summary(df$Age)
```

```
Min. 1st Qu.  Median   Mean 3rd Qu.    Max.
##  54.0  70.0    75.0  74.9  79.0  91.0
```

カテゴリ変数の頻度を見たいときには、`table()` が便利です。

```
table(x)
```

x　集計する変数

```
table(df$New_Treatment)
```

```
##   0   1
## 321 179
```

`New_Treatment` 列には 0 が 321 個、1 が 179 個あることがわかります。

各カテゴリーの割合を見たいときは、さらに `prop.table()` を使います。

```
prop.table(table(df$New_Treatment))
```

```
##     0     1
## 0.642 0.358
```

以上より、`New_Treatment` 列には 0 が 321 個（64.2%）、1 が 179 個（35.80%）あることがわかります。

## 2 tableone パッケージ

tableone パッケージの CreateTableOne() を用いることで、**臨床研究論文の Table 1 にあたる患者の背景情報を簡単に要約すること**ができます。

サンプルデータの New_Treatment が行われた群（New_Treatment == 1）と行われなかった群（New_Treatment == 0）の背景情報を比較してみます。

```
CreateTableOne(vars, strata, factorVars, data)
```

の形で使います。

| | |
|---|---|
| vars | テーブルに含める変数名（列名） |
| strata | 層別化（グループ化）する変数名 |
| factorVars | vars の変数名のうち、カテゴリー変数（離散変数） |
| data | データフレーム名 |

New_Treatment の 0 と 1 の 2 群の比較を行う場合、strata="New_Treatment" とします。テーブルに含めたい変数は "Age", "Sex", "Height", "Weight", "Severity", "DM" とします。これらをすべて vars に指定します。このうち、Sex は 1 か 2、DM は 1 か 0 のいずれかの値をとるカテゴリー変数なので、factorVars には "Sex", "DM" の 2 変数を指定します。

```
library(tableone)
tbl_1 <- CreateTableOne(
  vars = c("Age", "Sex", "Height", "Weight", "Severity", "DM"),
  strata = "New_Treatment", factorVars = c("Sex", "DM"),
  data = df)

tbl_1
```

```
                    Stratified by New_Treatment
                     0               1               p       test
```

```
n                           321             179
Age (mean (SD))         72.58 (5.15)    79.06 (5.00)  <0.001
Sex = 2 (%)               198 (61.7)      106 (59.2)   0.656
Height (mean (SD))     155.52 (6.40)   155.12 (6.17)   0.498
Weight (mean (SD))      55.26 (8.12)    54.61 (8.00)   0.392
Severity (mean (SD))     3.38 (2.77)     6.54 (3.23)  <0.001
DM = 1 (%)                 25 ( 7.8)       48 (26.8)  <0.001
```
1)

論文の表1にそのまま使える結果がこれだけで作成できてしまいます。

1) 年齢は、New_Treatment が0の群では平均72.6歳、標準偏差5.1歳でありNew_Treatment が1の群では平均79.1歳、標準偏差5.0歳です。そしてp<0.001なので有意に1の群の年齢が高いことがわかります。

tbl_1 をファイルとして出力したいときは、tbl_1 オブジェクトを print() したうえで、write.csv() でcsvファイルへ出力します。

```
write.csv(x, file)
```

| | |
|---|---|
| x | csvファイルとして出力したいオブジェクト（データフレームなど） |
| file | ファイル名 |

```
tbl_1 %>%
  print() %>%
  write.csv(file = "tableone.csv")
```

```
                     Stratified by New_Treatment
                      0              1              p       test
n                       321            179
Age (mean (SD))       72.58 (5.15)   79.06 (5.00)   <0.001
Sex = 2 (%)             198 (61.7)     106 (59.2)    0.656
```

```
Height (mean (SD))  155.52 (6.40)  155.12 (6.17)   0.498
Weight (mean (SD))   55.26 (8.12)   54.61 (8.00)   0.392
Severity (mean (SD))  3.38 (2.77)    6.54 (3.23)  <0.001
DM = 1 (%)              25 ( 7.8)      48 (26.8)  <0.001
```

すると、tableone.csv というファイルがプロジェクトフォルダの中に作成されます（プロジェクトフォルダは第4章25ページを参照）。これで論文投稿や学会発表にそのままの形で用いることができ、大変便利です。

|  | A | B | C | D | E |
|---|---|---|---|---|---|
| 1 |  | 0 | 1 | p | test |
| 2 | n | 321 | 179 |  |  |
| 3 | Age (mean (SI | 72.58 (5.15) | 79.06 (5.00) | <0.001 |  |
| 4 | Sex = 2 (%) | 198 (61.7) | 106 (59.2) | 0.656 |  |
| 5 | Height (mean | 155.52 (6.40) | 155.12 (6.17) | 0.498 |  |
| 6 | Weight (mean | 55.26 (8.12) | 54.61 (8.00) | 0.392 |  |
| 7 | Severity (mea | 3.38 (2.77) | 6.54 (3.23) | <0.001 |  |
| 8 | DM = 1 (%) | 25 ( 7.8) | 48 (26.8) | <0.001 |  |

図6-1　出力された tableone.csv

図6-1の通り、CreateTableOne() では、デフォルトで連続変数には $t$ 検定、離散変数にはカイ2乗検定が使用されます（ウィルコクソン検定や、フィッシャー正確検定については第8、9章参照）。

Column

## summarytools パッケージ

```
library(summarytools)

df %>%
  dfSummary() %>%
  view()  # dfSummary() と view() を実行
```

データ俯瞰に便利なもう一つのパッケージ summarytools をご紹介します。俯瞰したいデータフレームに dfSummary() と view() を実行するだけで、全変数の要約統計量（連続変数では平均値、中央値など、離散変数では各カテゴリの頻度など）およびシンプルなグラフが RStudio の Plots ペインに表示されます（図参照）。論文や学会に発表する資料としてはブラッシュアップが必要ですが、解析段階で俯瞰するという意味では非常に有用でしょう。

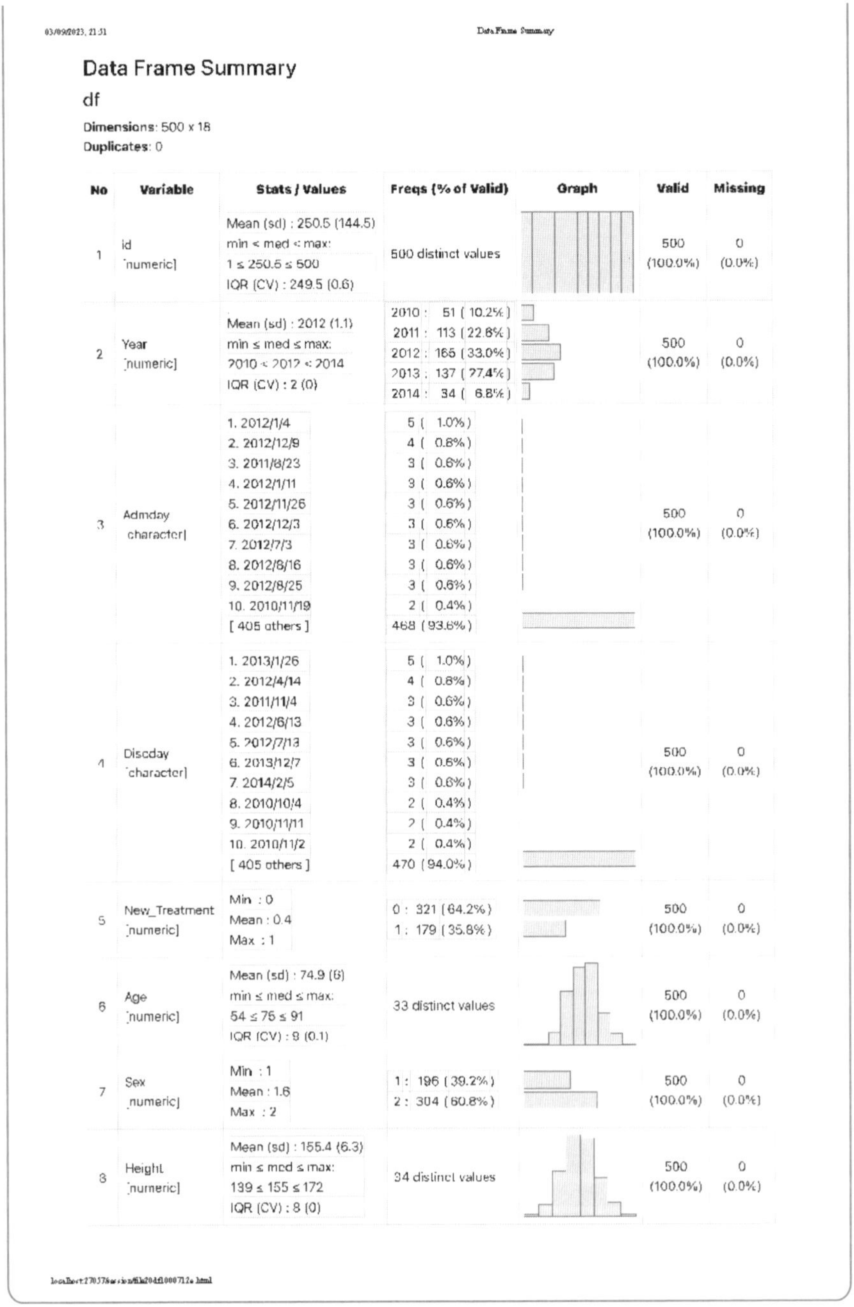

03/09/2023, 21:51 Data Frame Summary

## Data Frame Summary

### df

**Dimensions**: 500 x 18
**Duplicates**: 0

| No | Variable | Stats / Values | Freqs (% of Valid) | Graph | Valid | Missing |
|---|---|---|---|---|---|---|
| 1 | id<br>[numeric] | Mean (sd) : 250.5 (144.5)<br>min ≤ med ≤ max:<br>1 ≤ 250.5 ≤ 500<br>IQR (CV) : 249.5 (0.6) | 500 distinct values | | 500<br>(100.0%) | 0<br>(0.0%) |
| 2 | Year<br>[numeric] | Mean (sd) : 2012 (1.1)<br>min ≤ med ≤ max:<br>2010 ≤ 2012 ≤ 2014<br>IQR (CV) : 2 (0) | 2010 : 51 ( 10.2% )<br>2011 : 113 ( 22.6% )<br>2012 : 165 ( 33.0% )<br>2013 : 137 ( 27.4% )<br>2014 : 34 ( 6.8% ) | | 500<br>(100.0%) | 0<br>(0.0%) |
| 3 | Admday<br>[character] | 1. 2012/1/4<br>2. 2012/12/9<br>3. 2011/8/23<br>4. 2012/1/11<br>5. 2012/11/26<br>6. 2012/12/3<br>7. 2012/7/3<br>8. 2012/8/16<br>9. 2012/8/25<br>10. 2010/11/19<br>[ 405 others ] | 5 ( 1.0% )<br>4 ( 0.8% )<br>3 ( 0.6% )<br>3 ( 0.6% )<br>3 ( 0.6% )<br>3 ( 0.6% )<br>3 ( 0.6% )<br>3 ( 0.6% )<br>3 ( 0.6% )<br>2 ( 0.4% )<br>468 ( 93.6% ) | | 500<br>(100.0%) | 0<br>(0.0%) |
| 4 | Discday<br>[character] | 1. 2013/1/26<br>2. 2012/4/14<br>3. 2011/11/4<br>4. 2012/6/13<br>5. 2012/7/13<br>6. 2013/12/7<br>7. 2014/2/5<br>8. 2010/10/4<br>9. 2010/11/11<br>10. 2010/11/2<br>[ 405 others ] | 5 ( 1.0% )<br>4 ( 0.8% )<br>3 ( 0.6% )<br>3 ( 0.6% )<br>3 ( 0.6% )<br>3 ( 0.6% )<br>3 ( 0.6% )<br>2 ( 0.4% )<br>2 ( 0.4% )<br>2 ( 0.4% )<br>470 ( 94.0% ) | | 500<br>(100.0%) | 0<br>(0.0%) |
| 5 | New_Treatment<br>[numeric] | Min : 0<br>Mean : 0.4<br>Max : 1 | 0 : 321 ( 64.2% )<br>1 : 179 ( 35.8% ) | | 500<br>(100.0%) | 0<br>(0.0%) |
| 6 | Age<br>[numeric] | Mean (sd) : 74.9 (6)<br>min ≤ med ≤ max:<br>54 ≤ 75 ≤ 91<br>IQR (CV) : 9 (0.1) | 33 distinct values | | 500<br>(100.0%) | 0<br>(0.0%) |
| 7 | Sex<br>[numeric] | Min : 1<br>Mean : 1.6<br>Max : 2 | 1 : 196 ( 39.2% )<br>2 : 304 ( 60.8% ) | | 500<br>(100.0%) | 0<br>(0.0%) |
| 8 | Height<br>[numeric] | Mean (sd) : 155.4 (6.3)<br>min ≤ med ≤ max:<br>139 ≤ 155 ≤ 172<br>IQR (CV) : 8 (0) | 34 distinct values | | 500<br>(100.0%) | 0<br>(0.0%) |

localhost:27057/session/file204d1000712e.html

# 第7章 ggplot2

ポイント

- 'ggplot2' パッケージでグラフを描く
- さまざまな形式のファイルに保存する

本章で必要なパッケージ ● tidyverse

:「平均値や分散の値はわかったけれど、いまいちイメージがわかないからグラフで見たいなぁ。どうせなら、学会で発表するときのためにきれいなグラフを描きたい！」

Rの大きな強みは、美しいグラフを描くことができる点です。グラフを描くことでビジュアル的にわかりやすくすることを「データの可視化」といいます。 `tidyverse` パッケージ群にはグラフ描画専用の `ggplot2` パッケージが含まれています。本章では `ggplot2` パッケージを用いた基本的なグラフの描画方法を学びます。

`ggplot2` の基本スクリプトは以下になります。

```
ggplot(data, aes(x = X, y = Y)) +
    geom_○○○○()
```

| | |
|---|---|
| data | 使用するデータフレーム |
| x | x軸に設定する変数 |
| y | y軸に設定する変数 |

`ggplot()` は描画するためのデータの指定、`geom_○○○○` はグラフの種類を指定します。

`ggplot2` による描画は `ggplot()` でデータを指定し、これに「+」でレイヤーと呼ばれるさまざまなグラフの設定を追加していきます（表 7-1）。

表7-1　グラフの種類

| | |
|---|---|
| 散布図 | geom_point() |
| 折れ線グラフ | geom_line() |
| ヒストグラム | geom_histogram() |
| 箱ひげ図 | geom_boxplot() |
| 棒グラフ | geom_bar() |

基本スクリプトの 2 行でグラフの描画はできますが、必要に応じてレイヤーを追加することで、タイトル、背景、軸の設定が可能です（表 7-2）。

表7-2　グラフの追加設定

| 追加する設定 | スクリプト |
|---|---|
| 灰色背景に白の格子をつける（デフォルトテーマ） | theme_grey() |
| 背景を白にし、格子をなくす | theme_classic() |
| x 軸（連続値）の範囲を変更 | scale_x_continuous(limits = c( 最小値 , 最大値 )) |
| x 軸（離散値）の各グループのラベル名を変更 | scale_x_discrete(labels = c( 群 1 の名前 , 群 2 の名前 )) |
| メインタイトル名や軸のタイトル名を変更する | labs(title = “タイトル名”, x = “x 軸名”, y = “y 軸名 ”) |

`ggplot2` のチートシート（簡単なまとめ）は、15 ページを参照ください。

以下、基本的なグラフを描画していきます。

サンプルデータセットを読み込み、`df` に格納します。また、`tidyverse` パッケージ群を呼び出します。

```
library(tidyverse)
df <- read_csv("R_book_data.csv")
```

## 1 散布図

散布図は geom_point() を用います。x 軸に身長、y 軸に体重をプロットした散布図を描いてみましょう。本章冒頭に示した文法に沿ってスクリプトを書きます。

```
# g_point_1という名前のオブジェクトに図を格納
g_point_1 <- ggplot(data = df, aes(x = Height, y = Weight)) +
    geom_point()        # 散布図を指定
# 結果の表示
g_point_1
```

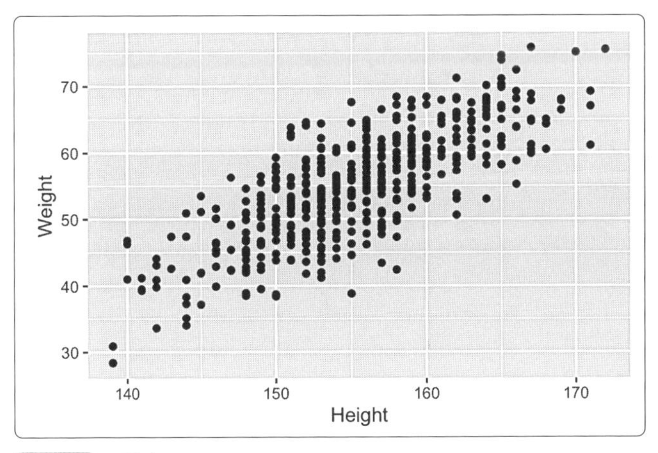


図7-1 散布図

わずか 2 行のスクリプトで右下のペインに、とてもきれいなグラフが出力されます（図 7-1）。

身長が高くなるほど、体重が増加している傾向がわかります。

デフォルトでは背景が灰色になっています。 theme_classic() を「+」で追加することで背景が白へ変更されます。

```
g_point_2 <- ggplot(data = df, aes(x = Height, y = Weight)) +
    geom_point() +
    theme_classic()
g_point_2
```

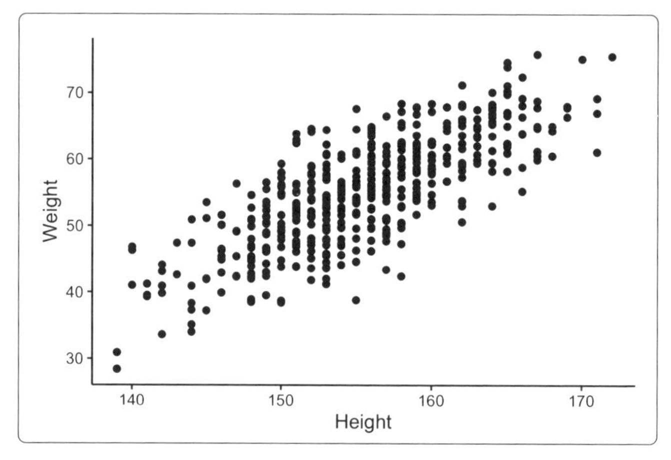


図7-2　theme_classic() で背景を白にした散布図

背景が白になりました（図 7-2）。

## 2 折れ線グラフ

**折れ線グラフ**には、`geom_line()` を用います。

サンプルデータの年度ごとの人数をグラフで表してみます。

`Year` で `group_by()` して、`n()` でグループ内の人数を数えます（第 5 章 52 ページを参照）。

出来上がった結果を `df_group` と名付けます。

```
df_group <- df %>%
  group_by(Year) %>%
  summarize(n = n())

df_group
```

```
# A tibble: 5 x 2
   Year     n
  <dbl> <int>
1  2010    51
2  2011   113
3  2012   165
4  2013   137
5  2014    34
```

このデータフレーム df_group を用いて、年ごとの入院件数を折れ線グラフで表してみます。各レイヤーを「+」でつないで完成させます（図 7-3）。

```
g_line <- ggplot(data = df_group, aes(x = Year, y = n)) +
    geom_line() +     # 折れ線グラフ
    geom_point() +    # 散布図（点をつける）
    theme_classic() # 背景を白にする
g_line
```

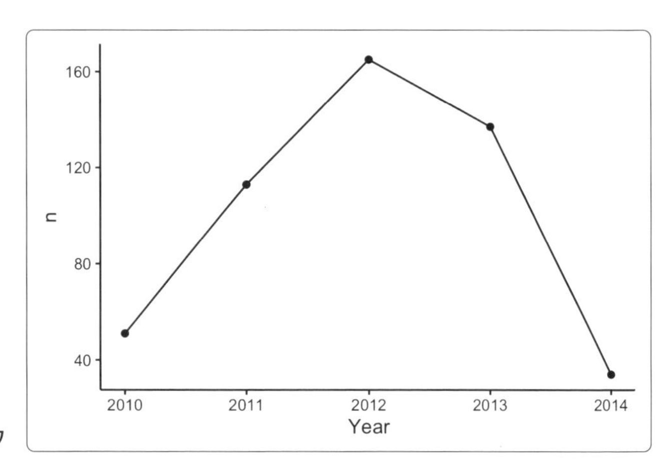


図7-3
折れ線グラフ

## 補足 日本語文字化け

グラフを日本語で保存したい場合に文字化けすることがあります。以下のスクリプトではタイトル、x 軸および y 軸を日本語で入力しています。

```
g_line_Japanese <- ggplot(data = df_group, aes(x = Year, y = n)) +
  geom_line() +
  geom_point() +
  labs(title = "年度ごとの件数推移", x = "年", y = "件数") # 日本語
```

これを通常通り Rstudio で表示および `ggsave()` を使用すると以下のように日本語が文字化けします。

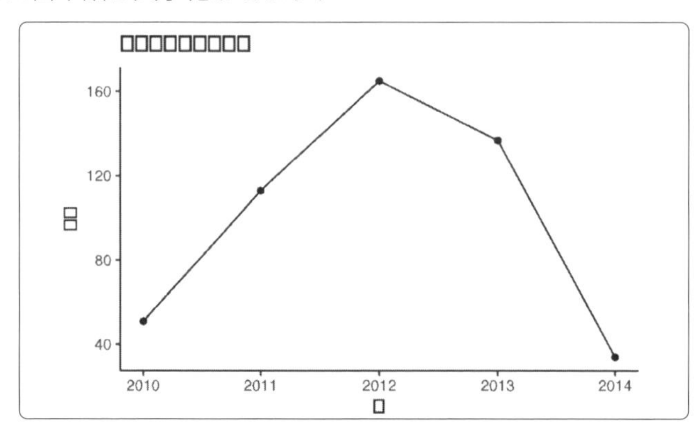

対処法は、install.packages("tidyverse")を行ったうえで、RStudioのTools > Global Options > General > Graphics > BackendでAGGへ変更することです（本作業に必要なパッケージはraggですが、tidyverseのインストールに伴い自動的にraggもインストールされます）。AGG設定以降は、RStudio上の表示およびpng, tiff, jpeg出力時の日本語文字化けが発生しなくなります。

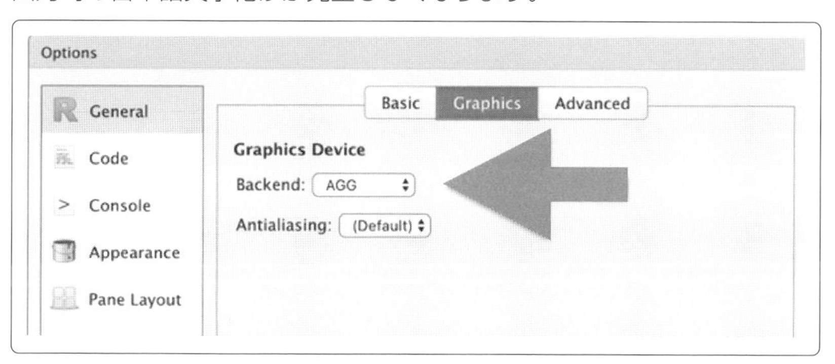


ただpdf出力に関しては、上述の方法でも文字化けが生じるため、deviceオプションにcairo_pdf、familyオプションに"Hiragino Sans"（Macの場合）もしくは"Yu Gothic"（Windowsの場合）を指定します。

```
# Mac
ggsave(filename = "Graph.pdf", plot = g_line_Japanese,
  device = cairo_pdf, family = "Hiragino Sans")

# Windows
ggsave(filename = "Graph.pdf", plot = g_line_Japanese,
  device = cairo_pdf, family = "Yu Gothic")
```

文字化けが解決された後のグラフは以下となります。

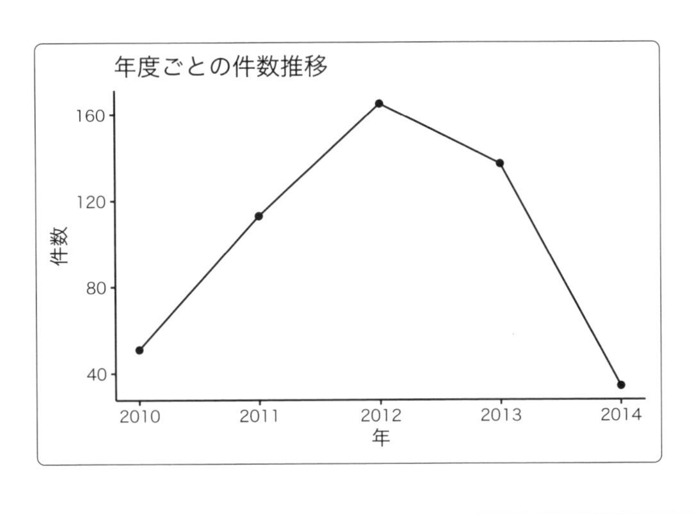


## 3 ヒストグラム

ヒストグラムの描画は geom_histogram() です。年齢の分布を見てみましょう。

実は ggplot2 には上述したレイヤー以外に、色オプションがあります。デフォルトではヒストグラムの 1 本 1 本（ビンと言う）が塗りつぶされて見づらいため、fill オプションを white に変更します。fill というのはビンの「塗りつぶし」という意味です。ビンの中を白くしたいので fill = "white" とします。さらに、color オプションでビンの枠線の色を指定します。ここでは枠線の色を black にしましょう（図 7-5）。

```
g_hist_1 <- ggplot(data = df, aes(x = Age)) +
  geom_histogram(fill = "white", color = "black") +  #白塗り、黒枠
  theme_classic()                                    #背景を白にする
g_hist_1
```

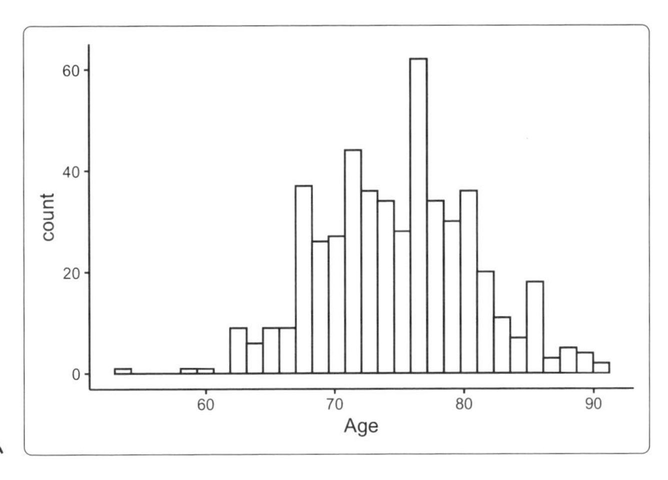


図7-5
ヒストグラム

x 軸の範囲を指定したグラフを描画することも可能です（図 7-6）。

```
g_hist_2 <- ggplot(data = df, aes(x = Age)) +
    geom_histogram(fill = "white", color = "black") + # 白塗り、黒枠
    theme_classic() +                                  # 背景を白にする
    scale_x_continuous(limits = c(60, 70))             # x 軸範囲の指定

g_hist_2
```

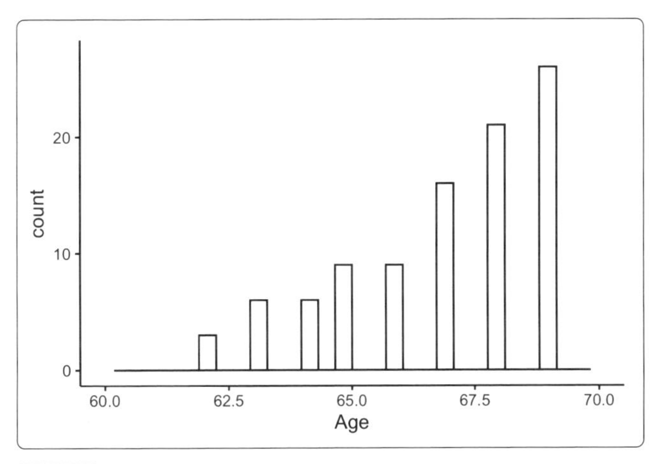


図7-6　x 軸を指定したグラフ

x 軸の範囲だけを指定した場合、1 つのビンの幅が狭すぎるため、binwidth を指定するとよいでしょう（図 7-7）。

```
g_hist_3 <- ggplot(data = df, aes(x = Age)) +
  geom_histogram(fill = "white", color = "black", binwidth = 1) +
  theme_classic() +
  scale_x_continuous(limits = c(60, 70))
g_hist_3
```

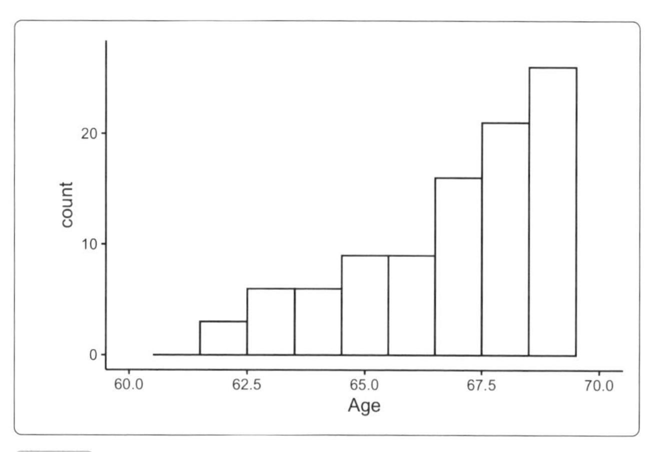


図7-7 ビン幅を指定したヒストグラム

## 4 箱ひげ図

箱ひげ図の描画には geom_boxplot() を用います。箱ひげ図は y 軸方向に連続変数の分布が記述されます。ここでは、LOS の分布を確認してみましょう。x 軸は何もなし (x = "")、y 軸に年齢を指定します。

```
g_box_1 <- ggplot(data = df, aes(x = "", y = LOS)) +
  geom_boxplot()

g_box_1
```

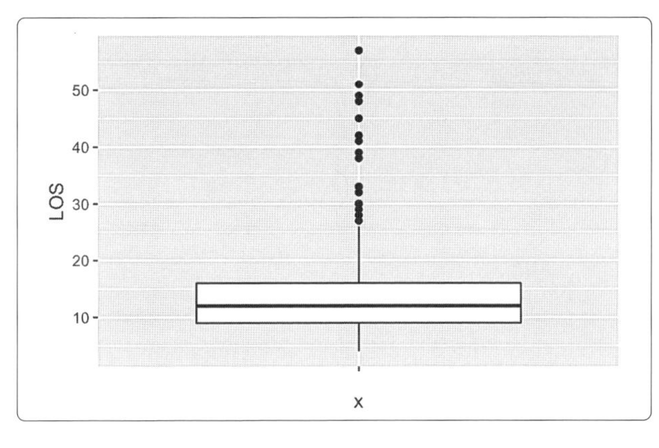

図7-8　箱ひげ図

これで LOS の箱ひげ図の完成です（図 7-8）。今度は x 軸に New_Treatment を入れて、New_Treatment が 0 と 1 の群で分けて、箱ひげ図を描きます。x 軸は因子型でなければならないため、x = factor(New_Treatment) とする必要があります（図 7-9）。

```
g_box_2 <- ggplot(data = df,
    aes(x = factor(New_Treatment),
    y = LOS)) +  # factor 型に変更（x 軸はカテゴリー変数となる）
  geom_boxplot() +
  theme_classic() # 背景を白黒に

g_box_2
```

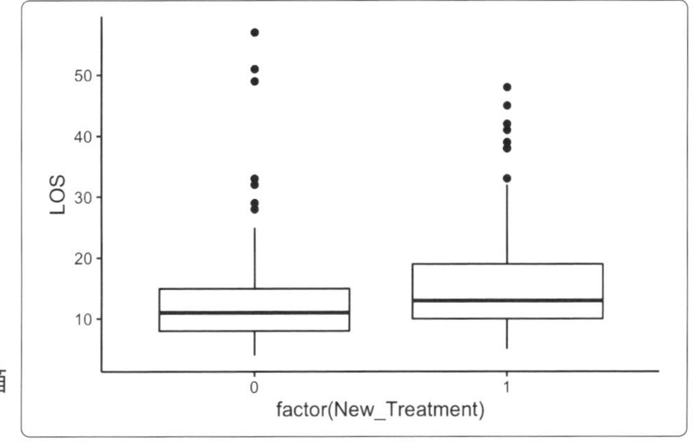

図7-9　グループごとの箱ひげ図

`New_Treatment` の群ごとの箱ひげ図を描くことができました。視覚的にも `New_Treatment` が 1 の群のほうが `LOS` が長そうだということがわかります。

## 5 グラフの保存

最後に、自分で描いたグラフの保存です。ジャーナルへの投稿や、学会発表の際に有用です。もちろんスクリプトを書いてグラフ保存することも可能ですが、RStudio ではクリックによる保存が便利です。

右下のウインドウの Plot タブに保存したい図が表示された状態で Export タブをクリックしてください（図 7-10）。

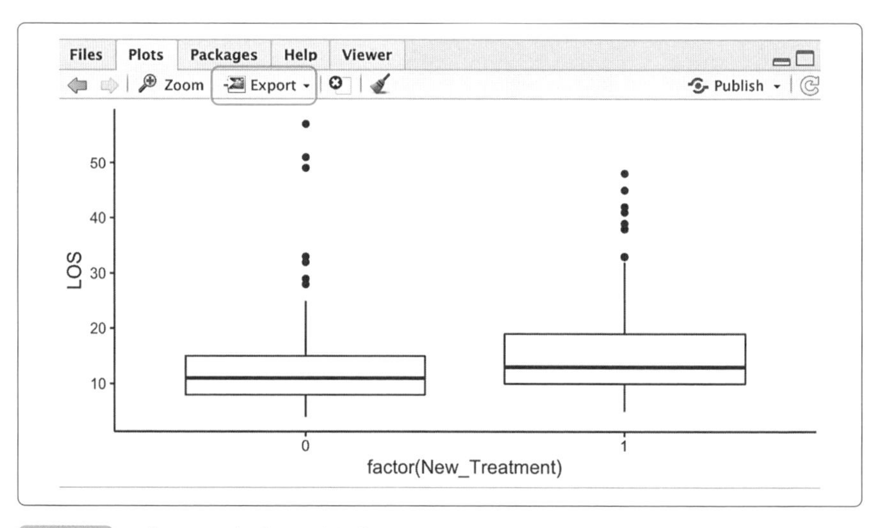


図7-10　グラフの保存の手順①

すると、Image として保存するか、PDF として保存するか選択できます。画像ファイルとして保存したい場合は、「Save as Image」を選択します（図 7-11）。

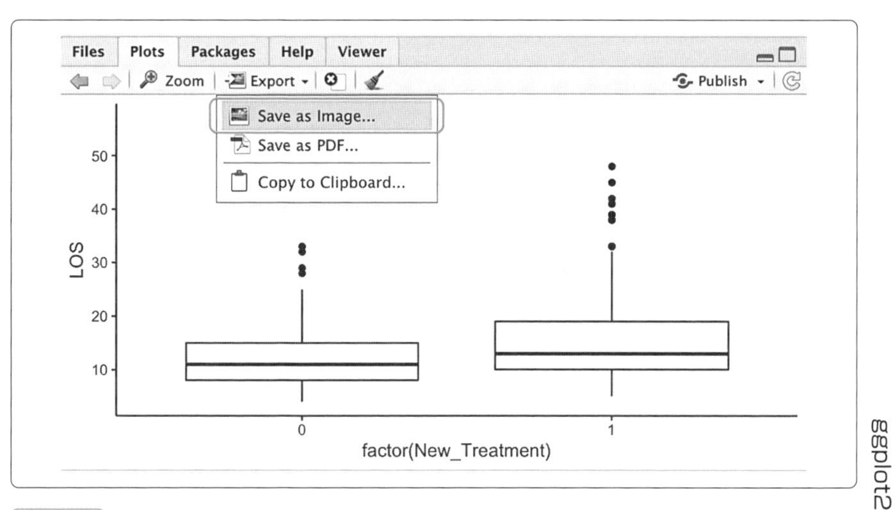


図7-11　グラフの保存の手順②

あとは、PNG、JPEG、TIFF など保存形式を選び、保存ファイル名をつけ、Save をクリックすればプロジェクトフォルダ内に保存されます（図 7-12）。

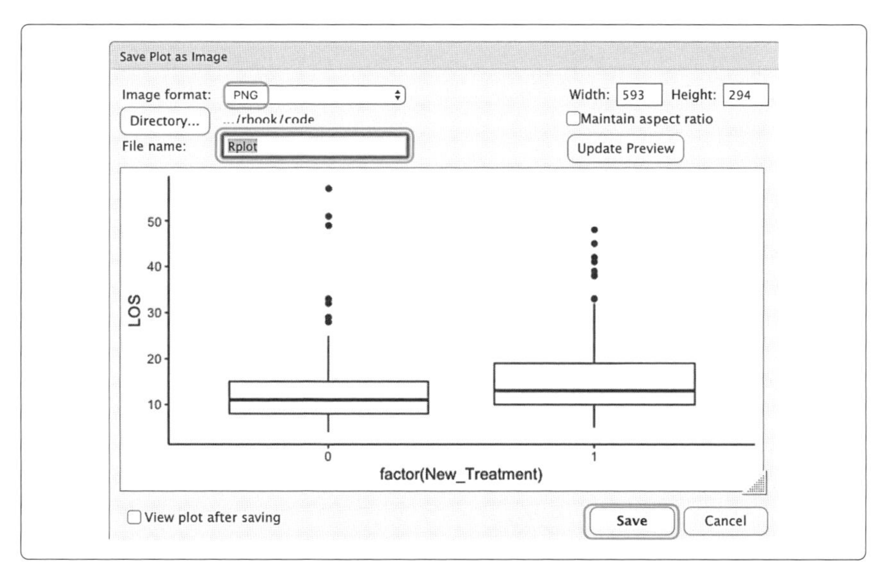


図7-12　グラフの保存の手順③

ggplot2

### ggsave

グラフの保存をスクリプトで行いたい場合は `ggsave()` を使います。

```
ggsave(filename, plot)
```

| | |
|---|---|
| filename | 出力先のファイル名（拡張子は pdf, png, jpeg, tiff 等） |
| plot | 保存したいグラフ |

例えば、上で作成した `g_box_2` を MyGraph という名前で保存したい場合のスクリプトは下記となります。

```
ggsave(filename = “MyGraph.pdf”, plot = g_box_2) # PDF として出力
ggsave(filename = “MyGraph.png”, plot = g_box_2) # png として出力
```

第４章で紹介したプロジェクトを利用している場合、グラフは現在のＲスクリプトと同じフォルダへ自動的に保存されます（プロジェクトを利用する大きなメリットの一つです）。

他にもいろいろなオプションをつけることが可能です。

| | |
|---|---|
| width | 出力されるグラフの幅 |
| height | 出力されるグラフの高さ |
| units | 幅、高さの単位 (in [ インチ ]、cm [ センチメートル ]、mm [ ミリメートル ]、px [ ピクセル ] から選択可能、デフォルトは in) |
| dpi | 解像度（デフォルトは 300） |

例えば、BMJ では TIFF や JPEG 形式の図では 300dpi 以上が求められています (https://authors.bmj.com/writing-and-formatting/formatting-your-paper/)。もし 300dpi、横７インチ、縦５インチのグラフとして保存したい場合は下記となります。

```
ggsave(filename = "MyGraph.pdf", plot = g_box_2,
  dpi = 300, width = 7, height = 5)
# dpi はデフォルトが 300、必要に応じて解像度を設定する
```

スクリプトを使ったグラフ保存により、手作業の手間を省き、保存時のミスを減らすことができます。

第5章から dplyr，ggplot2 を一通り学んできました。tidyverse の中核をなすこれら2つのパッケージを理解すれば、データクリーニング・可視化がスムーズになり、R による解析がきっと楽しくなるはずです。

# 第8章 2群間の比較

**ポイント**

- t.test()、wilcox.test() で連続変数の検定を行う
- fisher.test()、chisq.test() でカテゴリー変数の検定を行う

本章で必要なパッケージ ● tidyverse ● tableone

:「平均値やグラフを見ると、新治療を行った群では入院期間が長くて、死亡は少なさそうだな。統計的に差があると言うためには、検定する必要があるんだよな」

2群のデータを比較するには検定を行います。2群の値に本当は差がない場合、「今のデータが示している差が偶然起こる確率はどのくらいか？」を表すのが $p$ 値です。医学研究では慣習的に $p$ 値 $<0.05$ を有意とします。さまざまな検定方法がありますが、本書では医学研究において最も一般的に用いられる方法を紹介します。

## 1 統計手法の選択

表8-1の統計手法の選択に従い、2群比較を行う際の検定について説明します。

表8-1 統計手法の選択

| | カテゴリー変数 | 連続変数 | | | 生存時間 |
|---|---|---|---|---|---|
| 可視化 | 棒グラフ | ヒストグラム・箱ひげ図 | | | カプランマイヤー曲線 |
| 分布の記述 | 度数分布 | 平均・分散・標準偏差 | | | |
| | 分割表 | 中央値・四分位範囲 | | | |
| 単純な群比較 | フィッシャー正確検定 | 2群 | 正規分布 | $t$ 検定 | ログランク検定 |
| | カイ二乗検定 | | 非正規分布 | ウィルコクソン順位和検定 | |
| | | 3群以上 | 正規分布 | 一元配置分散分析 | |
| | | | 非正規分布 | クラスカルウォリス検定 | |
| 多変量回帰 | ロジスティック回帰 | 重回帰 | | | コックス回帰 |

## 2 連続変数の比較

最初にデータの分布を確認します。

正規分布に近い分布であれば $t$ 検定を行います。一方、サンプルサイズが小さい場合や、正規分布から大きく外れている場合は後述するウィルコクソン順位和検定を行います（第6章「2 .tableone パッケージ」、第7章「3 . ヒストグラム」参照）。

### ① $t$ 検定

$t$ 検定を行うには `t.test()` を利用します。また、`tableone` パッケージの `CreateTableOne()` を利用して行うことも可能です。`CreateTableOne()` を利用する場合はいったん `CreateTableOne()` の結果をオブジェクトに格納してから、`print()` で結果を表示します。

t.test() を使った $t$ 検定

```
t.test(x ~ group, data = data)
```

| | |
|---|---|
| x | 検定を行う連続変数 |
| group | 群分け変数 |
| data | データフレーム |

CreateTableOne() を利用した $t$ 検定

```
tbl_ttest <- CreateTableOne(vars, strata, data)
print(tbl_ttest)
```

| | |
|---|---|
| vars | 検定を行う連続変数 |
| strata | 群分け変数 |
| data | データフレーム |

実際にサンプルデータを使って検定を行っていきましょう。

今回は New_Treatment の有無によって入院期間の平均が異なるかどうかを検定します。

```
library(tidyverse)
library(tableone)

# sample データの読み込み
df <- read_csv("R_book_data.csv")

# 分布の確認
g_dist_2g <- ggplot(data = df, aes(x = LOS)) +
  geom_histogram()

g_dist_2g
```

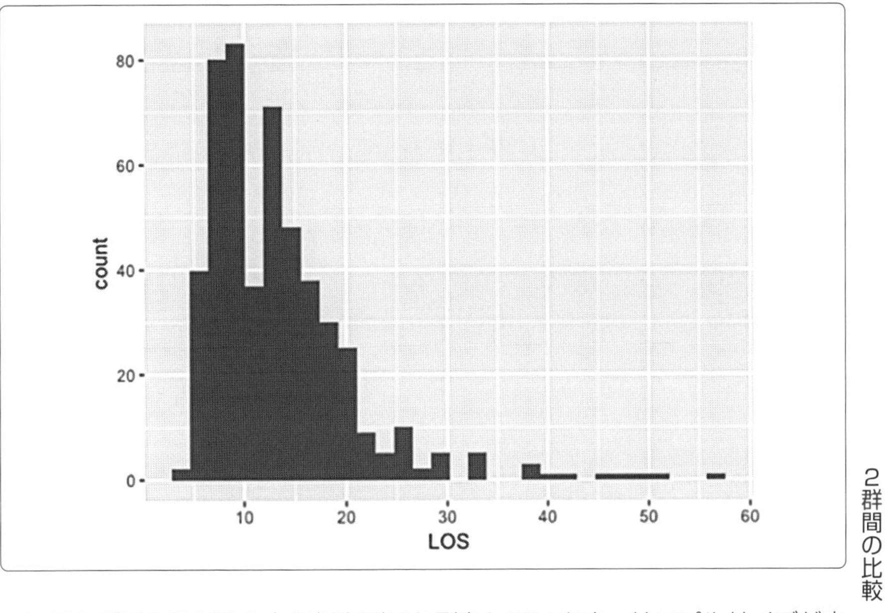




ヒストグラムを見ると右に裾を引いた形をしています。サンプルサイズが小さい場合や、正規分布から大きく外れている場合は後述のウィルコクソン順位和検定を行います。LOS は正規分布とは言えませんが、ここでは便宜上、$t$ 検定もウィルコクソン検定も LOS を使用します。

```
# t.test() を使った t 検定
t.test(LOS ~ New_Treatment, data = df)
```

```
 Welch Two Sample t-test 1)

data:  LOS by New_Treatment
t = -4.9642, df = 303.78, p-value = 1.152e-06 2)
alternative hypothesis: true difference in means is not equal to 0
95 percent confidence interval: 3)
 -4.836858 -2.090760
sample estimates:
```

```
mean in group 0 mean in group 1
       12.13396        15.59777
```
4)

1) $t$ 検定を行ったことを示しています。

2) 結果は p-value < 1.152e-06 でした（R ではしばしば e-06 のような表記が登場します。これは 10 の -6 乗を表します。**1.152e-06 は 1.152×10 の -6 乗です。e+6 と表記された場合は 10 の 6 乗を表します。e とありますが、自然対数の底ではありません**）。2 群間に統計学的な有意差を認めました。

3) 平均値の差の 95% 信頼区間は -4.8〜-2.1 であることが示されています。

4) グループごとの集計を見ると、平均入院期間は対照群 12.1 日、`New_Treatment` 群は 15.6 日であり、統計学的に有意に `New_Treatment` 群の入院期間が長いことがわかります。

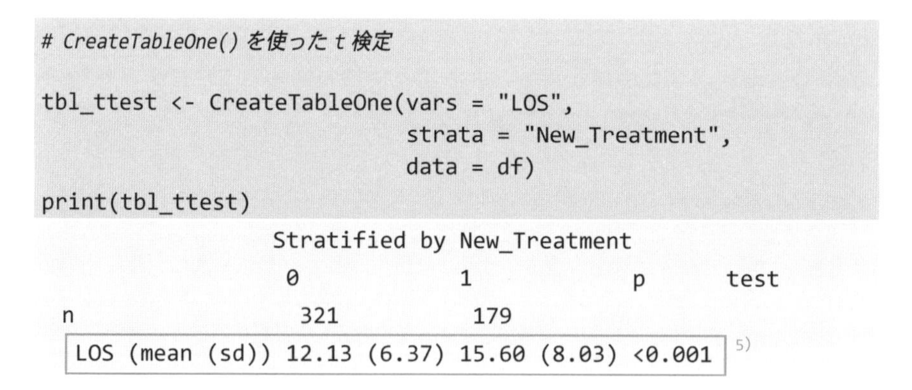

```
# CreateTableOne() を使った t 検定

tbl_ttest <- CreateTableOne(vars = "LOS",
                            strata = "New_Treatment",
                            data = df)
print(tbl_ttest)
```

```
                 Stratified by New_Treatment
                  0             1             p      test
  n                 321           179
  LOS (mean (sd)) 12.13 (6.37) 15.60 (8.03) <0.001
```
5)

5) `CreateTableOne()` を利用した場合、表形式で各群の平均入院日数と標準偏差、$p$ 値が出力されます。$p$ 値が 0.001 よりも小さい場合、$p < 0.001$ と表示されます。

②ウィルコクソン順位和検定

ウィルコクソン順位和検定は 2 群のすべてのデータを合わせて昇順（また

は降順）に並べて順位をつけます。この順位の和が２群間で異なるかを検定します（表 8-1）。サンプルサイズが小さい場合や、正規分布から大きく外れている場合はウィルコクソン順位和検定を行います。

```
wilcox.test(x ~ group, data)
```

| | |
|---|---|
| x | 検定を行う連続変数 |
| group | 群分け変数 |
| data | データフレーム |

```
# wilcox.test() を使ったウィルコクソン順位和検定
wilcox.test(LOS ~ New_Treatment, data = df)
```

```
Wilcoxon rank sum test 1) with continuity correction

data:  LOS by New_Treatment
W = 20304, p-value = 5.022e-08 2)
alternative hypothesis: true location shift is not equal to 0
```

1）ウィルコクソン順位和検定を行っていることを示しています。

2）p-value = 5.022e-08($5.022 \times 10^{-8}$) ですので統計学的有意差を認めました。

グループ集計の結果と合わせて、統計学的に有意に New_Treatment 群の入院期間が長いことがわかります。

CreateTableOne() を利用したウィルコクソン順位和検定

```
tbl_wilcox <- CreateTableOne(vars, strata, data)
```

| | |
|---|---|
| vars | 検定を行う連続変数 |
| strata | 群分け変数 |
| data | データフレーム |

```
print(tbl_wilcox, nonnormal)
```

tbl_wilcox　CreateTableOne() の結果
nonnormal　ウィルコクソン順位和検定を行う変数名

```
# CreateTableOne() を使ったウィルコクソン順位和検定
tbl_wilcox <- CreateTableOne(vars = "LOS",
                             strata = "New_Treatment",
                             data = df)
print(tbl_wilcox, nonnormal = "LOS")
```

```
                  Stratified by New_Treatment
                   0                      1                      p      test
  n                  321                    179
  LOS (median [IQR]) 11.00 [8.00, 15.00] 13.00 [10.00, 19.00] <0.001 nonnorm
```
1)

1）群ごとの集計結果から、入院期間の中央値は対照群 11 日、New_Treatment 群は 13 日であり（[ ] は 4 分位範囲を表示しています）、$p$ 値が 0.001 よりも小さい場合、$p<0.001$ と表示されます。また、test は nonnorm とあり、ウィルコクソン順位和検定を行ったことを示しています。

## 3 カテゴリー変数の比較

2 群の比率が異なるかを検定するには、通常はフィッシャー正確検定を選択すれば問題ありません。データ量が大きく、フィッシャー正確検定が難しい場合にはカイ二乗検定を行いましょう。

### ①フィッシャー正確検定

fisher.test() を使用したフィッシャー正確検定

```
fisher.test(x, y)
```

x　変数 1（検定を行うカテゴリー変数）
y　変数 2（群分け変数）

```
# fisher.test() を使用したフィッシャー正確検定
```

```
fisher.test(df$Death, df$New_Treatment)

Fisher's Exact Test for Count Data        1)

data:  df$Death and df$New_Treatment        2)
p-value = 0.0388        3)
alternative hypothesis: true odds ratio is not equal to 1
95 percent confidence interval:        4)
 0.2736981 0.9887565
sample estimates:
odds ratio        4)
 0.5326503
```

1）フィッシャー正確検定を行ったことを示します。

2）検定を行った2変数を示しています。

3）p-value = 0.0388であり、統計学的に有意差を認めました。

4）オッズ比の95%信頼区間と点推定値を示しています。1をまたいでいないので、有意にNew_Treatment群の死亡オッズが低いことがわかります。

CreateTableOne()を利用したフィッシャー正確検定

```
tbl_fisher <- CreateTableOne(vars, strata, factorVars, data)
```

| | |
|---|---|
| vars | 検定を行う変数 |
| strata | 群分け変数 |
| factorVars | アウトカム（カテゴリー変数） |
| data | データフレーム |

```
print(tbl_fisher, exact)
```

| | |
|---|---|
| tbl_fisher | CreateTableOne()関数の結果 |
| exact | 変数名を指定することでフィッシャー正確検定を行う。省略するとカイ二乗検定を行う |

```
# CreateTableOne() を利用したフィッシャー正確検定
tbl_fisher <- CreateTableOne(vars = "Death",
  strata = "New_Treatment",  factorVars = "Death", data = df)
print(tbl_fisher, exact = "Death")
```

```
           Stratified by New_Treatment
               0           1          p      test
n             321         179
Death = 1 (%)  50 (15.6)   16 (8.9)   0.039 exact
```
1)

1) 群ごとの死亡数と割合を示しています。対照群は321人中50人（15.6%）、New_Treatment群では179人中16人（8.9%）死亡していることがわかります。フィッシャー正確検定を行ったことを示すexactが表示されます。*p*値は0.039であり、統計学的に有意にNew_Treatment群の死亡割合が低いという結果でした。

②カイ二乗検定

chisq.test() を利用したカイ二乗検定

```
chisq.test(x, y)
```

| | |
|---|---|
| x | 変数1（検定を行うカテゴリー変数） |
| y | 変数2（群分け変数） |

```
# chisq.test() によるカイ二乗検定を行います
chisq.test(df$Death, df$New_Treatment)
```

```
Pearson's Chi-squared test with Yates' continuity correction   1)

data:  df$Death and df$New_Treatment   2)
X-squared = 3.8588, df = 1, p-value = 0.04949   3)
```

1) カイ二乗検定を行ったことを示しています。
2) 検定を行う2変数を示しています。
3) p-value = 0.04949であり、統計学的に有意にNew_Treatment群の死

亡割合が低いという結果でした。

### CreateTableOne() を利用したカイ二乗検定

フィッシャー正確検定とスクリプトは同様です。`print()` 内の exact を省略することでカイ二乗検定となります。

```
tbl_chisq_2g <- CreateTableOne(vars, strata, factorVars, data = data)
```

| | |
|---|---|
| vars | 検定を行う変数 |
| strata | 群分け変数 |
| factorVars | アウトカム（カテゴリー変数） |
| data | データフレーム |

```
print(tbl_chisq_2g)
```

tbl_chisq_2g　CreateTableOne() の結果

```
# CreateTableOne() を利用したカイ二乗検定
tbl_chisq_2g <- CreateTableOne(vars = "Death",
                               strata = "New_Treatment",
                               factorVars = "Death",
                               data = df)
print(tbl_chisq_2g)
```

```
                Stratified by New_Treatment
                0            1            p      test
n               321          179
Death = 1 (%)    50 (15.6)    16 (8.9)    0.049
```
1)

1) 群ごとの死亡数と割合を示しています。対照群は 321 人中 50 人（15.6%）、New_Treatment 群では 179 人中 16 人（8.9%）死亡していることがわかります。カイ二乗検定を行い、$p$ 値は 0.049 と統計学的に有意に New_Treatment 群の死亡割合が低いという結果でした。

# 第9章 3群以上の比較

ポイント

- oneway.test(), kruskal.test() で連続変数の検定を行う
- pairwise.t.test(), pairwise.wilcox.test() で連続変数の多重比較を行う
- chisq.test() でカテゴリー変数の検定を行う
- pairwise.prop.test() でカテゴリー変数の多重比較を行う

本章で必要なパッケージ　● tidyverse　● tableone

:「ようやく2群の比較ができるようになったな。今回は比較したい治療を従来治療と新しい治療の2つにしたけれど、疾患Zの従来治療はAとBの2種類があるし、もしかすると別々に比較したほうがいいかもしれないな。でも3群の比較ってどうやるのだろう？」

## 1 多重比較法

3群以上の比較の際に2つの群の組み合わせごとに $t$ 検定を行ってはいけません。詳細な説明は統計学の成書に譲りますが、多重検定（何度も検定を行うこと）によって差がないものを差があるとしてしまう確率が高くなってしまいます。そこで**3群以上の比較の際には特別な検定方法を用いる**必要があります。この方法を多重比較法といいます。図9-1に多重比較のフローチャートを示します。多重比較法はこのフローチャートに従って進めていきます。

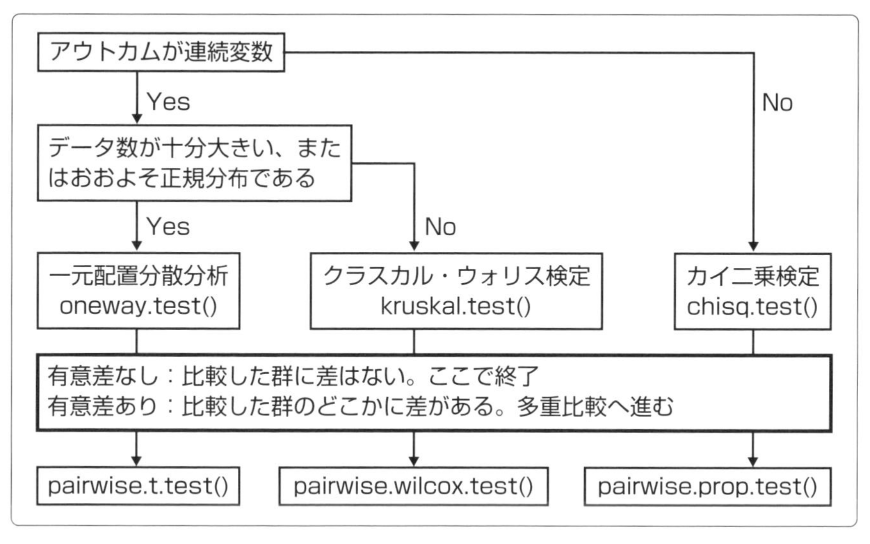


図9-1　多重比較のフローチャート

## 2 統計手法の選択

統計手法の選択に従い、3 群以上の比較を行う際の検定について説明します（表 9-1）。

表9-1 統計手法の選択

| | カテゴリー変数 | 連続変数 | | | 生存時間 |
|---|---|---|---|---|---|
| 可視化 | 棒グラフ | ヒストグラム | | | カプランマイヤー曲線 |
| 分布の記述 | 度数分布 | 平均・分散・標準偏差 | | | |
| | 分割表 | 中央値・四分位範囲 | | | |
| 単純な群比較 | フィッシャー正確検定 | 2 群 | 正規分布 | $t$ 検定 | ログランク検定 |
| | カイ二乗検定 | | 非正規分布 | ウィルコクソン順位和検定 | |
| | | 3 群以上 | 正規分布 | 一元配置分散分析 | |
| | | | 非正規分布 | クラスカルウォリス検定 | |
| 多変量回帰 | ロジスティック回帰 | 重回帰 | | | コックス回帰 |

## 3 連続変数の比較

最初にデータの分布を確認します。正規分布に近い分布であれば一元配置分散分析を行います。厳密に正規性の検定を行う必要はありません。サンプルサイズが小さく、外れ値が目立つような場合や正規分布からかけ離れている場合はクラスカルウォリス検定を行います。

### ①一元配置分散分析（one-way analysis of variance）

一元配置分散分析は 3 群の平均値が異なるかの検定に用います（表 9-1）。一元配置分散分析を行う際には以下の手順で行います。

1．一元配置分散分析

oneway.test() を利用した一元配置分散分析

```
oneway.test(x ~ group, data)
```

| | |
|---|---|
| x | 検定を行う連続変数 |
| group | 群分け変数 |
| data | データフレーム |

CreateTableOne() を利用した一元配置分散分析

```
tbl_anova <- CreateTableOne(vars, strata, data)
```

| | |
|---|---|
| vars | 検定を行う連続変数 |
| strata | 群分け変数 |
| data | データフレーム |

```
print(tbl_anova)
```

| | |
|---|---|
| tbl_anova | CreateTableOne() の結果 |

2．多重比較

一元配置分散分析で**有意差があった場合、どの群とどの群の間に差があったのかを確認する**必要があります。多重比較にはさまざまな方法が提案されていますが、本書では最も一般的な Bonferroni 法を紹介します。

Bonferroni 法による多重比較を行うには `pairwise.t.test()` を利用します。この関数ではすべての組み合わせの比較を行います。

```
pairwise.t.test(x, group, p.adjust.method)
```

| | |
|---|---|
| x | 検定を行う連続変数 |
| group | 群分け変数 |
| p.adjust.method | “bonferroni” を指定 |

実際にサンプルデータを使って検定を行ってみましょう。今回は新しい治療法、従来治療 A、従来治療 B の 3 種類の治療法で入院期間が異なるかどうかを検定します。サンプルデータの Treatment_3cat は 1: 新しい治療法 , 2: 従来治療 A, 3: 従来治療 B を表す変数です。

```
library(tidyverse)
library(tableone)

# サンプルデータの読み込み
df <- read_csv("R_book_data.csv")

# データの分布の確認（第 7 章「4. 箱ひげ図」、104 ページ参照）

g_dist_3g <-ggplot(data = df,
  aes(x = factor(Treatment_3cat), y = LOS)) + geom_boxplot()
g_dist_3g
```

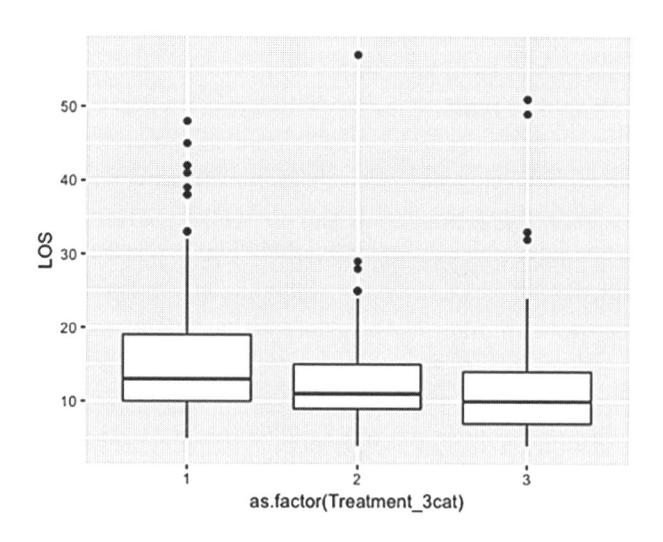

```
# oneway.test() を利用した一元配置分散分析
oneway.test(LOS ~ Treatment_3cat, data = df)
```

```
One-way analysis of means 1) (not assuming equal variances)

data:  LOS and Treatment_3cat 2)
F = 12.445, num df = 2.00, denom df = 316.76, p-value = 6.264e-06 3)
```

1）一元配置分散分析を行ったことを示しています。

2）Treatment_3cat、つまり新しい治療、従来治療 A、B 各群での LOS の比較を行っています。

3）p-value = 6.264e-06($6.264 \times 10^{-6}$) ですので 3 群のどこかに差があるという結果です。多重比較へ進みます。有意差がなければここで終了です。

```
# CreateTableOne() を利用した一元配置分散分析
tbl_anova <- CreateTableOne(vars = "LOS",
                            strata = "Treatment_3cat",
                            data = df)
print(tbl_anova)
```

```
# 2 の結果

                  Stratified by Treatment_3cat
                  1             2             3             p      test
 n                179           179           142
 LOS (mean (sd))  15.60 (8.03)  12.43 (5.93)  11.76 (6.88)  <0.001     1)
```

1）各群の LOS の平均と標準偏差を示しています。1 群（新しい治療法群）の平均 LOS が最も長いことがわかります。$p < 0.001$ ですので 3 群のどこかに差があるという結果です。多重比較へ進みます。有意差がなければここで終了です。

### 多重比較

Bonferroni 法は p.adjust.method = "bonferroni" を指定します。

```
# 多重比較
pairwise.t.test(df$LOS,
                df$Treatment_3cat,
                p.adjust.method = "bonferroni")
```

```
 Pairwise comparisons using t tests with pooled SD   1)

data:  df$LOS and df$Treatment_3cat   2)

  1       2    3)
2 6.9e-05 -
3 4.5e-06 1

P value adjustment method: Bonferroni   4)
```

1） Pairwise の $t$ 検定を行っていることを示しています。

2） 治療法ごとの LOS を比較しています。

3） 総当たりの比較を行い、$p$ 値を表示しています。1 群と 2 群の比較では $p$ 値 = 6.9e-05($6.9 \times 10^{-5}$)、1 群と 3 群の比較では $p$ 値 = 4.5e-06($4.5 \times 10^{-6}$)、2 群と 3 群の比較では $p$ 値 = 1 で、先に行った各群の平均入院期間の結果と合わせて、「1 群は統計学的有意に 2 群、3 群よりも入院期間が長いが、2 群と 3 群の入院期間には統計学的な有意差を認めない」ということになります。

4） $p$ 値は Bonferroni 法によって多重比較の調整を行っていることを表示しています。

### ②クラスカルウォリス検定

3群以上の連続変数の比較の際、サンプルサイズが小さく外れ値が目立つような場合や正規分布からかけ離れている場合はクラスカルウォリス検定を行います。クラスカルウォリス検定は以下の手順で行います。

#### クラスカルウォリス検定

`kruskal.test()` を利用したクラスカルウォリス検定

```
kruskal.test(x ~ group, data)
```

| | |
|---|---|
| x | 検定を行う連続変数 |
| group | 群分け変数 |
| data | データフレーム |

`CreateTableOne()` を利用したクラスカルウォリス検定

```
tbl_kruskal <- CreateTableOne(vars, strata, data)
```

| | |
|---|---|
| vars | 検定を行う連続変数 |
| strata | 群分け変数 |
| data | データフレーム |

```
print(tbl_kruskal, nonnormal)
```

| | |
|---|---|
| tbl_kruskal | CreateTableOne() の結果 |
| nonnormal | 変数名を指定することで、その変数に対しクラスカルウォリス検定を行う。省略すると一元配置分散分析を行う |

#### 多重比較

Bonferroni 法による多重比較は `pairwise.wilcox.test()` を利用

```
pairwise.wilcox.test(x, group, p.adjust.method
```

| | |
|---|---|
| x | 検定を行う連続変数 |
| group | 群分け変数 |
| p.adjust.method | "bonferroni" を指定 |

```
# kruskal.test() を利用したクラスカルウォリス検定
kruskal.test(LOS ~ Treatment_3cat, data = df)
```

```
 Kruskal-Wallis rank sum test   1)

data:  LOS by Treatment_3cat   2)
Kruskal-Wallis chi-squared = 33.109, df = 2, p-value = 6.463e-08   3)
```

1) クラスカルウォリス検定を行ったことを示しています。

2) 治療法ごとの LOS の比較を行っています。

3) p-value ＝ 6.463e-08($6.463 \times 10^{-8}$) ですので治療法の各群のどこかに差があるという結果です。多重比較へ進みます。有意差がなければここで終了です。

```
tbl_kruskal <- CreateTableOne(vars = "LOS",
                              strata = "Treatment_3cat",
                              data = df)
print(tbl_kruskal, nonnormal = "LOS")
```

```
                        Stratified by Treatment_3cat
                         1                          2
  n                         179                        179
  LOS (median [IQR]) 13.00 [10.00, 19.00] 11.00 [9.00, 15.00]   1)
                         Stratified by Treatment_3cat
                          3                       p       test
  n                         142
  LOS (median [IQR]) 10.00 [7.00, 14.00] <0.001 nonnorm   1)
```

1) 1、2、3 群の LOS の中央値は 13、11、10 日と 1 群（新しい治療法群）が最も長いことがわかります。クラスカルウォリス検定を行ったことを示す nonnorm が表示されます。$p < 0.001$ であり、統計学的に有意な結果でした。3 群のどこかに差があるという結果であり、多重比較へ進みます。有意差がなければここで終了です。

```
# 多重比較
pairwise.wilcox.test(df$LOS,
                     df$Treatment_3cat,
                     p.adjust.method = "bonferroni")
```

```
Pairwise comparisons using Wilcoxon rank sum test  1)

data:  df$LOS and df$Treatment_3cat  2)

  1        2                          3)
2 0.00013  -
3 2.4e-07  0.13019

P value adjustment method: bonferroni  4)
```

1）Pairwise のウィルコクソン順位和検定を行っていることを示しています。
2）治療法ごとの LOS を比較しています。
3）総当たりの比較を行い、$p$ 値を表示しています。1 群と 2 群の比較では $p$ = 0.00013、1 群と 3 群の比較では $p$ = 2.4e-07($2.4 \times 10^{-7}$)、2 群と 3 群の比較では $p$ = 0.1319 あり、先に行った各群の入院期間の集計結果と合わせて、1 群は 2 群、3 群と比較して有意に入院期間が長いが、2 群と 3 群の入院期間には統計学的な有意差を認めないということになります。
4）$p$ 値は Bonferroni 法によって多重比較の調整を行っていることを表示しています。

## 4 カテゴリー変数の比較

3 群の比率が等しいかを検定する場合にもフィッシャー正確検定（Fisher' s exact test）またはカイ二乗検定（chi-square test）を行いますが、2 群の比較と異なり、3 群以上の比較を行う場合フィッシャー正確検定は計算量が多く通常の PC では時間がかかることがあります。特に理由がない限りカイ二乗検定でよいでしょう。

有意差があった場合、どの群とどの群の間に差があったのかを確認する必要があります。多重比較には `pairwise.prop.test()` を用います。Bonferroni法が最もよく用いられる多重比較の方法です。

1．カイ二乗検定

`chisq.test()` を利用したカイ二乗検定

```
chisq.test(x, y)
```

| | |
|---|---|
| x | 変数 1（検定を行うカテゴリー変数） |
| y | 変数 2（群分け変数） |

`CreateTableOne()` を利用したカイ二乗検定

```
tbl_chisq_3g <- CreateTableOne(vars, strata, factorVars, data)
```

| | |
|---|---|
| vars | 検定を行う変数 |
| strata | 群分け変数 |
| factorVars | アウトカム（カテゴリー変数） |
| data | データフレーム |

```
print(tbl_chisq_3g)
```

| | |
|---|---|
| tbl_chisq_3g | CreateTableOne() の結果 |

2．多重検定

```
pairwise.prop.test(table(x, y), p.adjust.method)
```

| | |
|---|---|
| x | 変数 1（検定の際の群分け変数） |
| y | 変数 2（検定を行いたいカテゴリー変数） |
| p.adjust.method | “bonferroni” を指定 |

```
# chisq.test() を利用したカイ二乗検定
chisq.test(df$Death, df$Treatment_3cat)
```

```
 Pearson's Chi-squared test  1)

data:  df$Death and df$Treatment_3cat  2)
X-squared = 4.5048, df = 2, p-value = 0.1051  3)
```

1) カイ二乗検定を行ったことを示しています。
2) 3つの治療法ごとの死亡割合の比較を行っています。
3) $p$ 値＝0.1051 ですので治療法の各群の死亡割合は統計学的に有意な差を認めないという結果です。通常は有意差を認めなかったのでここで検定は終了です。

```
# CreateTableOne() を利用したカイ二乗検定
tbl_chisq_3g <- CreateTableOne(vars = "Death",
                               strata = "Treatment_3cat",
                               factorVars = "Death", data = df)
print(tbl_chisq_3g)
```

```
           Stratified by Treatment_3cat
            1           2            3            p      test
 n          179         179          142
 Death = 1 (%)  16 (8.9)    27 (15.1)    23 (16.2)    0.105   1)
```

1) 1、2、3 群の死亡割合は 8.9%、15.1%、16.1% と 1 群（New_Treatment 群）が最も低いことがわかります。カイ二乗検定の結果、$p$ ＝ 0.105 であり、統計学的な有意差を認めませんでした。有意差がなければここで終了です。有意差があった場合は 3 群のどこかに差があるという結果であり、多重比較へ進みます。

今回は有意差を認めませんでしたが、参考までに多重比較を行ってみましょう。

```
pairwise.prop.test(table(df$Treatment_3cat, df$Death),
                   p.adjust.method = "bonferroni")
```

```
Pairwise comparisons using Pairwise comparison of proportions   1)

data:  table(df$Treatment_3cat, df$Death)   2)

  1    2       3)
2 0.31 -
3 0.21 1.00

P value adjustment method: bonferroni   4)
```

1) Pairwiseの比較を行っていることを示しています。

2) `Treatment_3cat`の各群で死亡割合が異なるかどうかを検定します。

3) 総当たりの比較を行い、$p$値を表示しています。1群と2群の比較では$p$値＝0.31、1群と3群の比較では$p$値＝0.21、2群と3群の比較では$p$値＝1であり、3群のすべての組み合わせで統計学的な有意差を認めませんでした。

4) $p$値はBonferroni法によって多重比較の調整を行っていることを表示しています。

# 第10章 重回帰・ロジスティック回帰

ポイント

- 重回帰：
  glm( アウトカム ~ 説明変数 ,
  family = gaussian(link = "identity"), data)
- ロジスティック回帰：
  glm( アウトカム ~ 説明変数 ,
  family = binomial(link = "logit"), data)

本章で必要なパッケージ　● rms　● tidyverse

:「2 群を比較したら新しい治療法を行った群は死亡が有意に減ってる！　やっぱりこの治療法はいいってことだよな」

:「まあ、待ちなさい。新しい治療法を行った群は従来の治療を行った群と比較して年齢も重症度も違うよね。年齢や重症度が同じ 2 群を比べないと正しい治療効果かどうかわからないだろう？」

:「はあ……（そんなことを言われても患者さんの年齢や重症度は変えられないですよ）」

:「他にも交絡になりそうな変数があるから、回帰で調整してみようか」

表10-1 統計手法の選択

| | カテゴリー変数 | 連続変数 | | | 生存時間 |
|---|---|---|---|---|---|
| 可視化 | 棒グラフ | ヒストグラム | | | カプランマイヤー曲線 |
| 分布の記述 | 度数分布 | 平均・分散・標準偏差 | | | |
| | 分割表 | 中央値・四分位範囲 | | | |
| 単純な群比較 | フィッシャー正確検定 | 2群 | 正規分布 | $t$ 検定 | ログランク検定 |
| | カイ二乗検定 | | 非正規分布 | ウィルコクソン順位和検定 | |
| | | 3群以上 | 正規分布 | 一元配置分散分析 | |
| | | | 非正規分布 | クラスカルウォリス検定 | |
| 多変量回帰 | ロジスティック回帰 | 重回帰 | | | コックス回帰 |

医学研究の分野で回帰分析は、死亡の交絡因子である重症度などを調整したり、アウトカムと複数の説明変数との関連を調べたりする目的で使用します。本章では回帰分析のうちロジスティック回帰、重回帰を取り上げます。**アウトカムがカテゴリー変数（死亡の有無など）の場合はロジスティック回帰を、連続変数（入院日数など）の場合は重回帰を利用**します。

重回帰、ロジスティック回帰は、`glm()` で行います。以下のように記述し、`family` を指定することで、さまざまな多変量回帰に対応可能です。

```
glm(formula, family, data)
```

| | |
|---|---|
| formula | 「アウトカム ~ 説明変数 1 ＋説明変数 2 ＋ ,……」と指定 |
| family | 重回帰：gaussian(link = “identity”)<br>ロジスティック回帰：binomial(link = “logit”) |
| data | 使用するデータフレーム |

## 1 重回帰

アウトカムが正規分布の連続変数の場合は、family = gaussian(link = "identity") を用います。

ここでは、LOS（入院期間）を複数の説明変数で回帰し、model_linear（linear は線形の意味）という名前のオブジェクトに格納します。結果の概要は summary() で出力します。

- アウトカム………LOS
- 説明変数…………Age、Sex、DM、Severity、New_Treatment

```
# サンプルデータの読み込み
library(tidyverse)
df <- read_csv("R_book_data.csv")
# 回帰式の作成
model_linear <- glm(LOS ~  Age + Sex + DM + Severity + New_Treatment,
  family = gaussian(link = "identity"), data = df)
# 回帰式の概要の表示
summary(model_linear)
```

```
Call:                                                                    1)
glm(formula = LOS ~ Age + Sex + DM + Severity + New_Treatment,
    family = gaussian(link = "identity"), data = df)
Coefficients:                                                  2)
               Estimate Std. Error t value Pr(>|t|)
(Intercept)    8.019207   4.361590   1.839   0.0666 .
Age            0.004118   0.060948   0.068   0.9462
Sex           -0.272194   0.550440  -0.495   0.6212
DM            -0.422431   0.873021  -0.484   0.6287
Severity       1.267696   0.109347  11.593   <2e-16 ***
New_Treatment -0.486408   0.668537  -0.728   0.4672
---
Signif. codes:  0 '***' 0.001 '**' 0.01 '*' 0.05 '.' 0.1 ' ' 1   3)
(Dispersion parameter for gaussian family taken to be 35.76601)
```

重回帰・ロジスティック回帰

1 2 3 4 5 6 7 8 9 10 11 12 13 14 15 16 17

```
    Null deviance: 25839  on 499  degrees of freedom
Residual deviance: 17668  on 494  degrees of freedom
AIC: 3215.4   4)

Number of Fisher Scoring iterations: 2
```

1） Call：実行した回帰式が表示されます。
2） Coefficients：Estimate（係数）、Pr(>｜t｜)（$p$ 値）を表しています。Estimate（係数）は説明変数が 1 単位増加したときのアウトカムの増加量となります。
3） Signif. codes: coefficient の一番右側につく記号についての説明です。$p$ 値が 0 から 0.001 の間、つまり < 0.001 のときには、「***」が表示されます。同様に 0.001 から 0.01 のときには「**」、0.01 から 0.05 のときには「*」が表示されます。
4） AIC：AIC（Akaike information criterion）は回帰式の評価指標です。AIC が小さいと良い回帰式であるといえます。

1）から 4）の結果を解釈すると、`New_Treatment` の Coefficient Estimate（係数）は -0.486408 で、$p$ 値を示す Pr(>｜t｜) は 0.4672 となっており、`New_Treatment` と `LOS` は関連がないことがわかりました。回帰式を評価する指標である AIC（Akaike information criterion）は 3215.4 でした。AIC が小さいほど良い回帰式ですので、回帰式に入れる変数の選択に悩むときはこの値を参考にしてください。試しに、説明変数から重症度を表す `Severity` を除いてみると AIC は 3333.7 となり、最初の `Severity` を説明変数として含んだ回帰式のほうがよいことがわかります（詳しい解説は成書に譲りますが、AIC は回帰式の当てはまりの良さを評価するうえで、変数を多量に投入することによる過剰適合にも対処しています）。

以下のように記述すると係数のみを表示することができます。

```
# 係数の表示
summary(model_linear)$coefficients
```

```
                 Estimate Std. Error     t value     Pr(>|t|)
(Intercept)    8.019206922  4.3615905  1.83859694 6.657461e-02
Age            0.004118239  0.0609476  0.06757017 9.461551e-01
Sex           -0.272194383  0.5504400 -0.49450323 6.211707e-01
DM            -0.422431071  0.8730211 -0.48387268 6.286907e-01
Severity       1.267695671  0.1093473 11.59329135 1.180532e-27
New_Treatment -0.486408319  0.6685370 -0.72757127 4.672208e-01
```

係数の 95%信頼区間を表示する際は `confint()` を使用します。

```
# 95%CI の表示
confint(model_linear)
```

```
                   2.5 %     97.5 %
(Intercept)   -0.5293534 16.5677672
Age           -0.1153369  0.1235733
Sex           -1.3510370  0.8066483
DM            -2.1335210  1.2886589
Severity       1.0533788  1.4820125
New_Treatment -1.7967168  0.8239001
```

多重共線性の確認

**興味のある説明変数が他の説明変数と強く関連している（多重共線性）と正しい推定ができない**ため、説明変数間の多重共線性をチェックします。 `rms` パッケージの `vif()` を使います。

```
# 多重共線性の確認
library(rms)
vif(model_linear)
```

```
          Age           Sex            DM      Severity New_Treatment
     1.844509      1.009507      1.328494      1.822286      1.436046
```

一般的には VIF が 10 より小さければ問題ないとされています。

## 2 ロジスティック回帰

アウトカムが2値の場合（二項分布）はロジスティック回帰を使用します。ロジスティック回帰では family = binomial(link = "logit") を使用します。

- アウトカム………Death
- 説明変数…………Age、Sex、DM、Severity、New_Treatment

としてロジスティック回帰分析を行います。

```
# ロジスティック回帰
model_logistic <- glm(
  Death ~ Age + Sex + DM + Severity + New_Treatment,
  family = binomial(link = "logit"), data = df)

# 回帰式の概要の表示
summary(model_logistic)
```

```
Call:
glm(formula = Death ~ Age + Sex + DM + Severity + New_Treatment,
    family = binomial(link = "logit"), data = df)
```

1)

```
Coefficients:
              Estimate Std. Error z value Pr(>|z|)
(Intercept)   -3.76253    2.23725  -1.682 0.092615 .
Age            0.02329    0.03123   0.746 0.455799
Sex           -0.13318    0.27777  -0.479 0.631620
DM             0.08167    0.41053   0.199 0.842302
```

2)

```
Severity       0.14917    0.05293   2.818 0.004829 **  2)
New_Treatment -1.31902    0.36848  -3.580 0.000344 ***
---
Signif. codes:  0 '***' 0.001 '**' 0.01 '*' 0.05 '.' 0.1 ' ' 1  3)

(Dispersion parameter for binomial family taken to be 1)

    Null deviance: 390.17  on 499  degrees of freedom
Residual deviance: 368.94  on 494  degrees of freedom
AIC: 380.94  4)

Number of Fisher Scoring iterations: 5
```

1）Call：実行した回帰式の式が表示されます。

2）Coefficients の Estimate は効果の点推定値、Pr(>｜t｜) は $p$ 値を表します。ただし、ロジスティック回帰分析ではオッズ比は別途求める必要があります。

3）Signif. codes: $p$ <0.001 では、「***」、0.001 から 0.01 では「**」、0.01 から 0.05 では「*」が表示されます。

4）AIC：AIC（Akaike information criterion）は回帰式の評価指標です。AIC が小さいと良い回帰式だといえます。

上記の結果より、Severity、New_Treatment はともに有意に入院死亡と関連していることがわかりました。

VIF を表示し、回帰式の多重共線性を確認します。

```
# 多重共線性の確認
library(rms)
vif(model_logistic)
```

```
     Age           Sex            DM      Severity New_Treatment
1.847423      1.027253      1.388615      1.873203      1.423883
```

137 ページでは model_linear$coefficients で計数を表示しましたが、ここでは coef() で係数を取り出してみましょう。さらにその係数を exp()

で自然対数の底の累乗でオッズ比を表示します（詳しくは統計の成書を参考にしてください）。

```
# 係数の表示
coef(model_logistic)
(Intercept)         Age         Sex          DM     Severity New_Treatment
 -3.76253155  0.02329303 -0.13317687  0.08167474  0.14916650   -1.31902285
```

```
# オッズ比の表示
exp(coef(model_logistic))
(Intercept)         Age         Sex          DM     Severity New_Treatment
  0.02322487  1.02356643  0.87531026  1.08510281  1.16086626    0.26739646
```

```
# 95% 信頼区間のオッズ比表示
exp(confint(model_logistic))
                    2.5 %    97.5 %
(Intercept)   0.0002723616 1.7864169
Age           0.9630211498 1.0887194
Sex           0.5093071475 1.5193016
DM            0.4731731151 2.3856213
Severity      1.0467293182 1.2889224
New_Treatment 0.1263291149 0.5386604
```

New_Treatment のオッズ比は 0.27 で、95%信頼区間は 0.13～0.54 であることがわかりました。つまり、新しい治療法は有意に入院死亡減少と関連しています。

なお、注意点として、「glm.fit: アルゴリズムは収束しませんでした」というエラーが出る場合は回帰式に入れる変数の数を減らしてみましょう。一般的に、説明変数の数はロジスティック回帰ではアウトカム（ここでは入院死亡）の発生数÷20 以下が適切とされています。

Column

## 係数、95% 信頼区間、P 値の簡単な求め方

第 10 章では線形モデル（model_linear というオブジェクト）から係数を取り出すために $coefficients や confint() を使いました。至極正しい方法ですが、やや面倒であるという批判は免れません。

そこでご紹介するのが gtsummary パッケージの tbl_regression() です。係数、95% 信頼区間、P 値をまとめて計算できます。切片項を表示するには、intercept = TRUE と明示する必要があります。

```
library(gtsummary)
tbl_regression(model_linear, intercept = TRUE)
```

結果はコンソールではなく右下の Plots ペインに表示されます。

| Characteristic | Beta | 95% CI[1] | p-value |
|---|---|---|---|
| (Intercept) | 8.0 | -0.53, 17 | 0.067 |
| Age | 0.00 | -0.12, 0.12 | >0.9 |
| Sex | -0.27 | -1.4, 0.81 | 0.6 |
| DM | -0.42 | -2.1, 1.3 | 0.6 |
| Severity | 1.3 | 1.1, 1.5 | <0.001 |
| New_Treatment | -0.49 | -1.8, 0.82 | 0.5 |

csv ファイルとして保存したい場合は、結果を as_tibble() でデータフレームにし、オブジェクト（以下の例では results）へ保存してから write.csv() を用います。

```
results <- tbl_regression(model_linear, intercept = TRUE) %>%
    as_tibble()
write.csv(results, file = "results.csv", row.names = FALSE)
```

重回帰・ロジスティック回帰

# 第11章 生存時間分析

**ポイント**

- 生存時間分析は、1. 生存曲線の描出、2. 生存曲線の比較、3. コックス回帰を行う
- Surv()、survfit()、survdiff()、coxph() で生存時間分析を、ggsurvplot() で生存曲線を描画する

**本章で必要なパッケージ**　● tidyverse　● survival　● survminer

：「ロジスティック回帰で新治療を行うと死亡を減らすことができるとわかったぞ！　……でも、これだといつまで生きていられたかは評価されてないんだよなぁ。確か生存時間分析という手法で詳しくわかるはずだ。R で簡単にできるかどうか調べてみよう」

生存時間分析（Survival Analysis）は、イベントが発生するまでの時間をアウトカムとして分析する方法であり、臨床研究ではよく用いられています。本章では生存時間分析の概略と R での実行方法を解説します。

表11-1　統計手法の選択

| | カテゴリー変数 | 連続変数 | 生存時間 |
|---|---|---|---|
| 可視化 | 棒グラフ | ヒストグラム、箱ひげ図 | カプランマイヤー曲線 |
| 分布の記述 | 度数分布 | 平均・分散・標準偏差 | |
| | 分割表 | 中央値・四分位範囲 | |
| 単純な群比較 | フィッシャー正確検定 | 2群　正規分布　$t$ 検定 | ログランク検定 |
| | カイ二乗検定 | 2群　非正規分布　ウィルコクソン順位和検定 | |
| | | 3群以上　正規分布　一元配置分散分析 | |
| | | 3群以上　非正規分布　クラスカル ウォリス検定 | |
| 多変量回帰 | ロジスティック回帰 | 重回帰 | コックス回帰 |

## 1　生存時間分析

　生存時間分析は、アウトカムに**イベントが発生するまでの時間**を用いたものです。前章の重回帰分析やロジスティック回帰分析では、アウトカムは「入院期間などの連続変数」や「イベントが発生するかしないかの二値変数」でした。

　しかし、これらには時間の概念が存在しません。

　例えば、抗がん剤の治療の効果を比較したいとき、「５年後までに死んでいたかどうかの二値変数」をアウトカムにすると、抗がん剤投与後に１か月で死亡した患者も、４年 11 か月で死亡した患者も等しく死亡した症例として扱われます。抗がん剤の効果を知りたい場合、この２症例は別の意義をもっているはずです。

　そこで、時間の概念を取り入れ、抗がん剤が投与されてから死亡するまでの時間（生存時間）を比較する方法が生存時間解析です。アウトカムは死亡以外の他の病気の発症や再発までの時間でも構いません。

一般的に医学研究で行われる生存時間解析の手順は以下の通りです。

①カプランマイヤー（Kaplan-Meier）法で生存曲線を描出する
②ログランク検定で複数のカプランマイヤー曲線を比較する
③コックス（Cox）回帰分析をする

## 2 データの整形

分析には `survival` パッケージを用います。`survival` パッケージは生存時間分析に必要なさまざまな関数を含んでおり、使い勝手が良いため汎用されています。

生存時間分析を行うために必要な変数は以下の通りです。

time：各個人の総期間観察
event：アウトカムの発生（1＝アウトカムあり/0＝アウトカムなし）
treatment：治療の有無（1＝治療あり/0＝治療なし）

実際のデータは以下の形に整形しておきます。

| ID | time | event | treatment |
|---|---|---|---|
| 1 | 22 | 0 | 0 |
| 2 | 6 | 1 | 0 |
| …… | …… | …… | …… |
| 1000 | 30 | 0 | 1 |

サンプルデータでは、event は `Death`、treatment は `New_Treatment` の変数と対応しています。time に当てはまる観察期間の変数はあるでしょうか。

観察期間とは観察開始日（＝曝露日）〜観察終了日までの日数です。仮に `New_Treatment` は必ず入院日に行うとすると、観察開始日＝曝露（治療）日＝入院日です。観察終了日は event が発生した日、もしくは追跡が行えなくなった日です。サンプルデータでは、event を起こした群は死亡退院し、そうでない場合は生存退院しているため、いずれの場合も、観察期間は在院日数ということになります。

## 3 Survival オブジェクトの作成

Rで生存時間分析をする際、survival パッケージの Surv() をはじめに用います。手持ちのデータを生存時間分析が行える形（Survival オブジェクト）として認識するための関数です。

Surv() の引数として以下のものを指定します。

```
Surv(time, event)
```

| | |
|---|---|
| time | 観察期間。日数だけではなく、週・月・年などを単位も使用可能 |
| event | 観察終了日のイベントの発生の有無 |

以下のコマンドを実行します。

```
# survival オブジェクトの作成
library(tidyverse)
library(survival)
# サンプルデータの読み込み
df <- read_csv("R_book_data.csv")
surv_obj <- Surv(time = df$LOS, event = df$Death)
surv_obj
```

```
 [1] 13+ 10+  6+ 11+ 15+  9+ 19+ 22+ 15  10+  7+ 10+ 13+  6+  6+ 17+ 14+
```

1番目のデータの 13+ は 13 日間の観察期間で打ち切りであった（イベントが発生しなかった）ことを意味します。9 番目のデータの 15 は 15 日目にイベントが発生したことを意味します。このデータではイベント＝死亡です。

このように Surv() では手持ちのデータを、生存時間解析が行えるデータ形式に設定します。

## 4 カプランマイヤー法とログランク検定

カプランマイヤー法は**累積の生存率を時間ごとに曲線として描出する方法**です。生存曲線またはカプランマイヤー曲線と呼ばれます。また、**複数のカプランマイヤー曲線に差があるかを確認するためにログランク検定を行います。**

ログランク検定は単純な2群の比較で、多変量解析を行う場合は後述のコックス回帰を行う必要があります。

生存曲線の描出には、`ggplot2` を利用した `survminer` パッケージを用います。

### ①カプランマイヤー法

カプランマイヤー曲線の描出は、(1) `Surv` オブジェクトの作成、(2) `survfit()` オブジェクトの作成、(3) `ggsurvplot()` による描出の手順で行います。

`survfit()` は `Surv()` で作成したオブジェクトから生存曲線を描く関数です。

```
survfit(Surv オブジェクト ~ group, data)
```

| | |
|---|---|
| Surv オブジェクト | Surv() で作成したオブジェクト<br>直接 Surv() 関数を記述することも可能 |
| group | 群分け変数<br>1 を指定すると群分けせずに 1 本の生存曲線を描画 |
| data | データフレーム |

`ggsurvplot()` は多くの引数がありますが、よく使うものだけピックアップします。

```
ggsurvplot(Survfit オブジェクト , censor, conf.int, risk.table)
```

| | |
|---|---|
| survfit オブジェクト | survfit() で作成したデータを指定 |
| censor | TRUE：生存曲線に打ち切りを表すマークを描画<br>FALSE：打ち切りのマークを描画しない |
| conf.int | TRUE：生存曲線の 95%信頼区間を描画<br>FALSE：信頼区間を描画しない |
| risk.table | TRUE：number at risk（各時点の直前までの生存人数）を時点ごとに記載した表を描出<br>FALSE：number at risk を表示しない |

```
# カプランマイヤー曲線の描出
library(survminer)
fit_surv <- survfit(surv_obj ~ New_Treatment, data = df)
ggsurvplot(fit_surv) # 図 11-1
ggsurvplot(fit_surv, censor = TRUE, conf.int = TRUE, risk.table = TRUE)
# 図 11-2
```

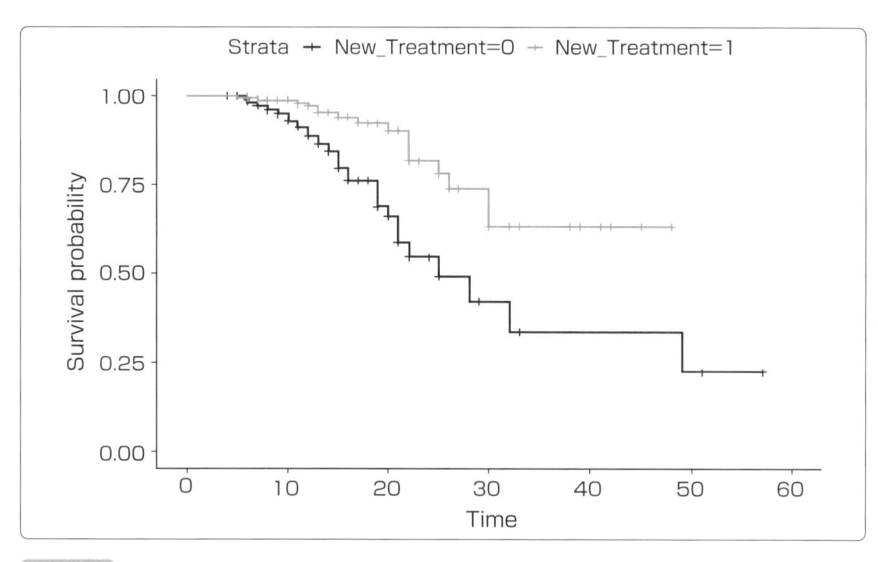


図11-1　カプランマイヤー曲線（デフォルト）

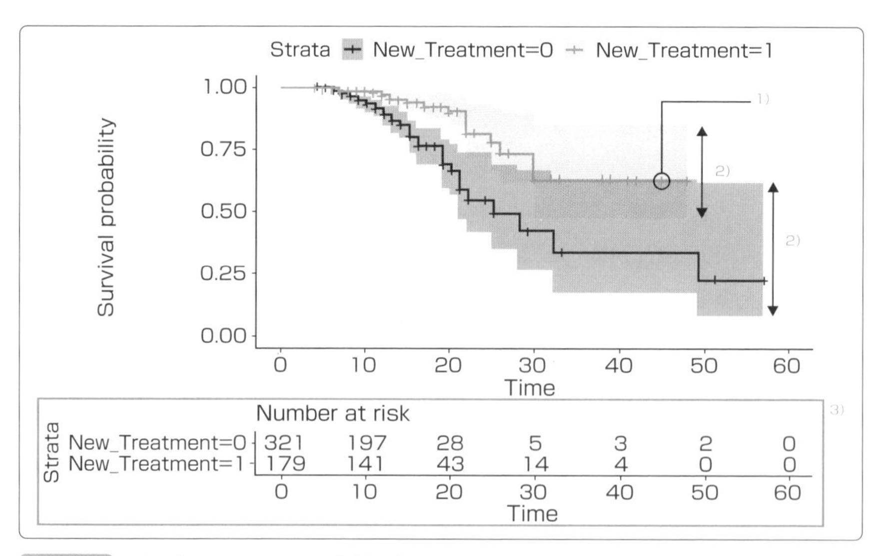


図11-2　カプランマイヤー曲線（censor = TRUE, conf.int = TRUE, risk.table = TRUE）

1) 打ち切り線という縦棒が生存曲線に記載されています。
2) 95%信頼区間が描出されています。
3) Number at riskの表が挿入されています。論文・学会発表の際には Number at riskの表が表記されているほうがよいでしょう。

②ログランク検定

カプランマイヤー曲線を描出した結果、New_Treatment群の曲線のほうが生存率が高くみえます。この違いを統計的に比較したいときに、ログランク検定を行います。ログランク検定は survival パッケージの survdiff() を用います。

```
survdiff(Survオブジェクト ~ group, data)
```

| | |
|---|---|
| Survオブジェクト | Surv()関数で作成したオブジェクト<br>直接Surv()関数を記述することも可能 |
| group | 群分け変数 |
| data | データフレーム |

```
#ログランク検定
survdiff(surv_obj ~ New_Treatment, data = df)
```

```
Call:
survdiff(formula = fit_surv ~ New_Treatment, data = df)

                  N Observed  1) Expected (O-E)^2/E (O-E)^2/V
New_Treatment=0 321    50          33.7      7.92      17.6
New_Treatment=1 179    16          32.3      8.25      17.6

 Chisq= 17.6  on 1 degrees of freedom, p= 3e-05 2)
```

1) Nは各群の人数、Observedはイベントが発生（今回はDeath）した人数です。
2) 最後の行が検定の結果であり、*p*= 3e-05 ($3 \times 10^{-5}$) と統計学的に有意です。この結果から、「New_Treatmentをした群はしていない群と比較して、生存率が有意に高い」と解釈できます。

3群以上で生存時間の違いを比較する際は、検定に対して多重比較の補正を行う必要があります。第9章にあるようにボンフェローニ（Bonferroni）補正がよく使われている方法です。

## 5 コックス回帰

生存時間解析で多変量解析を行うときにはコックス回帰を行います。

コックス回帰分析は survival パッケージの coxph() を用います。結果の概要は summary() で表示します。

```
fit_cox <- coxph(formula, data)
```

| | |
|---|---|
| formula | Surv オブジェクト〜説明変数１＋説明変数２＋……と指定<br>直接 Surv() 関数を記述することも可能 |
| data | データフレーム |

```
# コックス回帰
fit_cox <- coxph(surv_obj ~ New_Treatment + Age +
                 Sex + Severity + DM, data = df)
summary(fit_cox)
```

```
Call:
coxph(formula = surv_obj ~ New_Treatment + Age + Sex + Severity +
    DM, data = df)

  n = 500, number of events = 66                                    1)

                  coef exp(coef)  2)  se(coef)      z  Pr(>|z|)     3)
New_Treatment -1.10571   0.33098     0.33976 -3.254  0.00114 **
Age            0.02181   1.02205     0.02848  0.766  0.44385
Sex            0.01224   1.01232     0.25697  0.048  0.96200
Severity      -0.08712   0.91657     0.05157 -1.689  0.09114 .
DM             0.17574   1.19212     0.34919  0.503  0.61478
---
Signif. codes:  0 '***' 0.001 '**' 0.01 '*' 0.05 '.' 0.1 ' ' 1

              exp(coef) exp(-coef) lower .95 upper .95    4)
New_Treatment    0.3310     3.0214    0.1701    0.6442
Age              1.0220     0.9784    0.9666    1.0807
Sex              1.0123     0.9878    0.6118    1.6751
Severity         0.9166     1.0910    0.8285    1.0140
DM               1.1921     0.8388    0.6013    2.3635

Concordance = 0.669  (se = 0.039 )
Likelihood ratio test = 21.38  on 5 df,   p = 7e-04         5)
Wald test            = 18.71  on 5 df,   p = 0.002
Score (logrank) test = 20.39  on 5 df,   p = 0.001
```

1） サンプルサイズn=500、そのうち発生したeventは66人です。

2） coefはcoefficientの略称で係数を意味します。コックス回帰を行ったときに求めたい結果はハザード比であり、exp(coef)です。ハザードと

生存時間分析

は時間単位当たりのイベント発生率のことで、式で表すと「観察期間内に発生したイベント数 / 観察期間の合計」です。今回の結果では`New_Treatment`のハザード比は 0.33098 なので、`New_Treatment`が 1 の群は 0 の群と比較して 0.33 倍死亡しやすいという解釈になります。

3) Pr(>|z|) は $p$ 値を表します。`New_Treatment`の $p$ 値＝ 0.00114 ** なので、統計学的に有意となっています。

4) 2 段落目にはハザード比の 95%信頼区間が計算されています。

5) 3 段落目は回帰式の適合度を示す複数の指標を表しています。Likelihood ratio test、Wald test、Score test が有意の場合は適合が良好であることを示します。今回の場合はすべての検定が有意であり、適合が良いといえるでしょう。

## Column

### コードが実行できません

初心者がやってしまいがちなミスを下にいくつか挙げました。該当するものがないかチェックしてみましょう。

| エラーの原因 | 具体例 |
|---|---|
| ・大文字と小文字のミス | ○ `df %>% filter(New_Treatment == 1)`<br>× `df %>% filter(New_treatment == 1)` |
| ・イコールが 1 個 | ○ `df %>% filter(New_Treatment == 1)`<br>× `df %>% filter(New_Treatment = 1)` |
| ・カッコの閉じ忘れ | ○ `df %>% filter(New_Treatment == 1)`<br>× `df %>% filter(New_Treatment == 1`<br><br>→もし×の例を実行してしまうと、出力結果（Console パネル）に、<br>`filter(New_Treatment == 1`<br>`+`<br>のように、「+」が表示されてしまう。<br>この場合は、Console パネルを 1 回クリックしてから、Escape を押せば「+」が消えて、続きのスクリプトを書いていくことができる。 |
| ・型のミス | ○ `ymd(20191201) - ymd(20190401)`<br>× `"201901201" - "20190401"`<br><br>→文字列同士の引き算は不可。 |
| ・ダブルクォーテーションのつけ忘れ | ○ `read_csv("R_book_data.csv")`<br>× `read_csv(R_book_data.csv)` |

# Part 2

Aくんは試行錯誤の末に、データをRに読み込む所から生存時間分析までスクリプトを走らせることができました。

：「ふー、これで学会発表をするための統計解析は終わったな。ggplot2パッケージのおかげで綺麗なグラフを書くこともできたし、tableoneパッケージのおかげで学会発表のポスターにする患者背景のテーブルもすぐに作ることができた。慣れてきたからか群間比較や回帰分析も自分でできるようになったぞ！　最初はスクリプトを自分で書かなきゃいけないからハードルが高かったけど、思い切ってやってみたら案外僕でもなんとか使えそうだ。このソフトが無料で使えるなんて本当にすごいなあ」

第1〜11章では初めてRを使う人向けにインストールとダウンロードの方法や使い方を解説し、その後はグラフの作成、検定や回帰の具体的なスクリプトを記載しました。初学者の医療従事者向けに、学会発表や論文執筆に必要な知識に絞っており、一通りのことができるようになったでしょう。

この後の第12章からはRをより深く理解するための追加的な知識と発展的な統計手法の解説になります。Rを利用する上での基本的なルールや、実際に解析をする際によく使われる、相関係数、ROC曲線の描き方、臨床予測モデルの作成法、傾向スコア分析などの実行方法について解説しています。

# 第12章 データ作成

**ポイント**

- 文字コードを指定する（Mac：UTF-8、Windows：Shift-JIS/cp932）
- 変数名をつける際は半角英数字のみを使用する
- 研究対象者のみや必要最低限の列のみを含む最小データセットを使用する

**本章で必要なパッケージ**　● tidyverse

：「もうRの使い方はだいぶん慣れたから、今度は昔集めたこのデータも解析してみよう。……あれ？　データが読み込めない。せっかくRを使えるようになったのにこれじゃあ意味ないなぁ」

## 1 データの作り方のコツ

皆さんがいざ「Rで解析を始めよう！」と思い立ったとき、障壁の多さに驚くかと思います。まず、自分のデータをR上に読みこもうとしたときにAくんのように多くの人が失敗します。

Rで解析を始める前には、自分のオリジナルデータはRで操作しやすい形に「作成」しておく必要があります。

データの作成の要は、**シンプルなデータを作成すること**です。シンプルなデータを作成するメリットは以下のものがあります。

・データの読み込みがスムーズ
・分析におけるエラーを減少
・他人に渡したときにもわかりやすく重宝される

・R 以外のソフトウェアで解析するときにも、データの移行がしやすい

一方、無駄な変数や日本語でコメントが入っている複雑なデータは、エラーが発生しなくともデータ加工や分析に時間がかかります。**シンプルなデータを作成すること**を目指しましょう。

## 2 文字コード

文字コードとは、コンピューターがその文字を認識するために割り当てるコードのことで、言語やコンピューターの種類によってさまざまなコードが存在します。Excel やテキストエディタを使ってファイルを作成する際、**Windows のパソコンでは Shift-JIS もしくは CP932 が、Mac のパソコンでは UTF-8** という文字コードが割り当てられます。データの文字コードと R が指定した文字コードが異なると、文字化けの原因になります。テキストエディタ（Windows ではサクラエディタや Terapad、Mac では CotEitor や Atom などのフリーのテキストエディタが存在します）でそのデータを開くことでデータの文字コードを確認、あるいは設定することができます（図 12-1）。

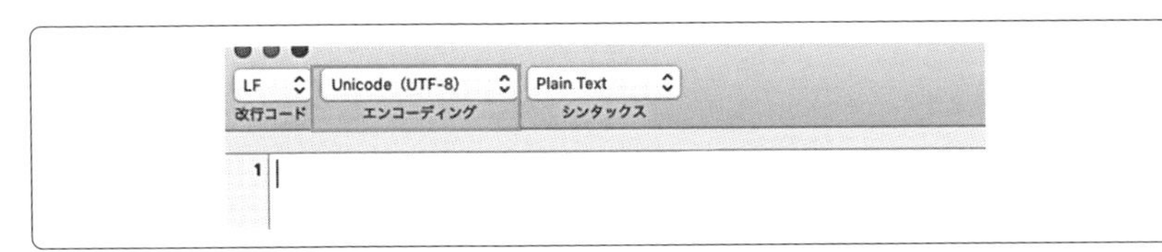


図12-1 CotEditor を用いた文字コードの確認

文字コードを指定することで文字化けすることなくデータを読み込むことができます。

```
library(tidyverse)
# 文字コードが UTF-8 のデータを読み込む場合
df <- read_csv("R_book_data.csv", locale = locale(encoding = 'UTF-8'))
```

## 3 変数名

文字コードを正しく設定したにもかかわらず、オリジナルデータを読み込むことができない場合、または自分で設定した変数名と違う変数名が表示される場合は、オリジナルデータの変数名を見直す必要があります。

変数名の作成の際に以下の点に注意することでエラーや文字化けを避けることができます。

### ①使用する文字は半角英数字のみ

エラーの原因になるため、以下の文字は避けましょう。

・全角文字
・ローマ数字（Ⅰ、Ⅱ、Ⅲ……）やギリシャ文字
・日本語（データが読み込めない原因となる可能性があるため推奨しません）

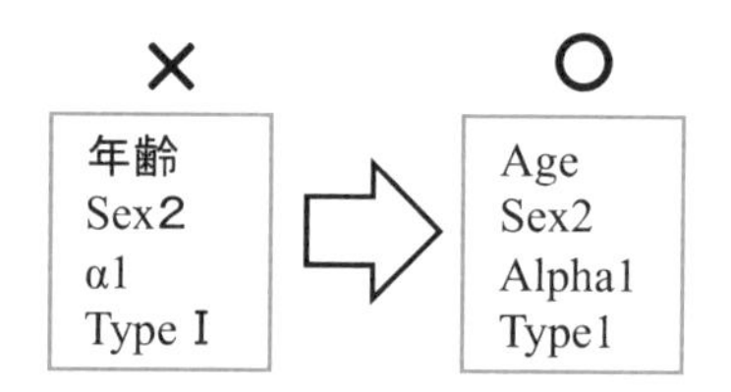


### ②使用する記号は "_"（アンダースコア）のみ

","（カンマ）、"-"（ハイフン）、" "（スペース）などは避けましょう。特にスペースは意図せず使用している場合があり見つけるのは困難です。テキストエディタで検索を行って、スペースがないことを確認しましょう。

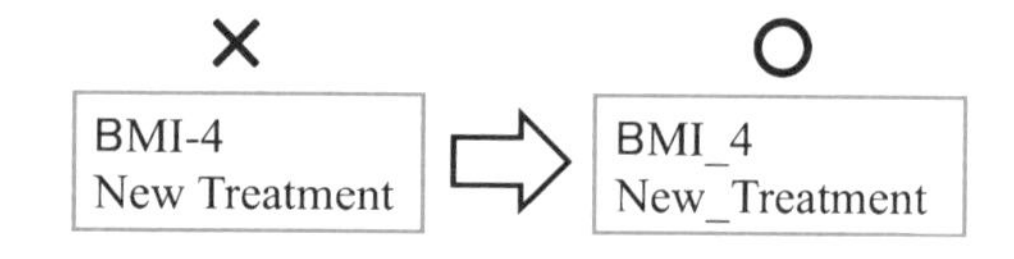


### ③数字から始まる変数名を付けない

数字から始まる変数名の場合、頭にXなどの文字が付与された変数名が作成されるなど、意図しない変数名になる可能性があります。

×　5FU　⇨　○　FiveFU

④同じ変数名を複数作らない

同じ変数名が2つ以上存在する場合、変数名は自動的に改変されます。また、解析の際に紛らわしいのでデータをR上に読み込む前に変数の中身がわかるような変数名に変更しましょう。

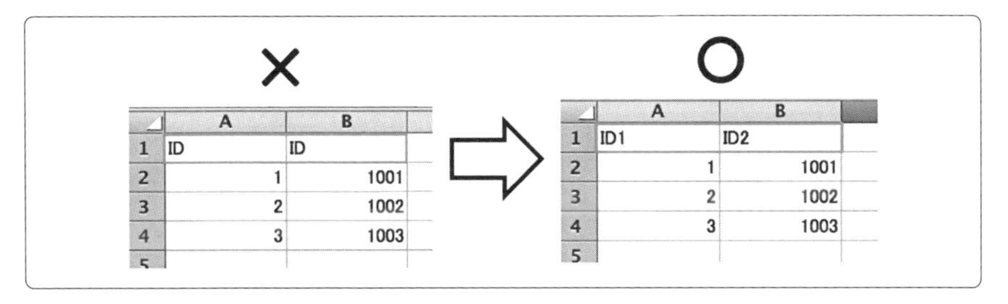

×

| | A | B |
|---|---|---|
| 1 | ID | ID |
| 2 | 1 | 1001 |
| 3 | 2 | 1002 |
| 4 | 3 | 1003 |

○

| | A | B |
|---|---|---|
| 1 | ID1 | ID2 |
| 2 | 1 | 1001 |
| 3 | 2 | 1002 |
| 4 | 3 | 1003 |

図12-2　変数名の変更

⑤変数名に空欄を作らない

変数名の行（1行目）には空欄は作らないようにしましょう。

また通し番号などの列（図12-3のA列）がある場合はあらかじめ削除しましょう。

×

| | A | B | C | D |
|---|---|---|---|---|
| 1 | | Number | Sex | Age |
| 2 | 1 | 111 | male | 63 |
| 3 | 2 | 222 | female | 79 |
| 4 | 3 | 333 | male | 72 |

○

| | A | B | C | D |
|---|---|---|---|---|
| 1 | Number | Sex | Age | |
| 2 | 111 | male | 63 | |
| 3 | 222 | female | 79 | |
| 4 | 333 | male | 72 | |

図12-3　不要な列がある場合

## 4 変数の中身

変数の中身のデータについても同様に注意点があります。

①使用する文字は半角英数字のみ

先述した「3. 変数名」と同様です

②使用する記号は“_”（アンダースコア）のみ

先述した「3. 変数名」と同様です

③同じ列は同じ型のデータのみを記載する（入力規則を統一する）

性別の列は”男”、”女”の 2 カテゴリーであるのに”男性”、”女性”などの異なる書き方を混ぜないようにしましょう。性別のカテゴリーは男＝1、女＝2 など数字で置き換えるとシンプルなデータになります。また、列の単位は統一します。3,400g と 7.3kg のように単位が統一されていないと分析結果は信頼できるものになりません（図 12-4）。

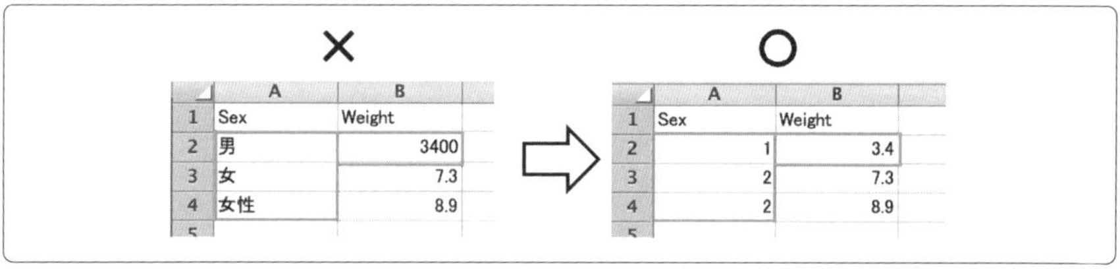

×

| | A | B |
|---|---|---|
| 1 | Sex | Weight |
| 2 | 男 | 3400 |
| 3 | 女 | 7.3 |
| 4 | 女性 | 8.9 |

○

| | A | B |
|---|---|---|
| 1 | Sex | Weight |
| 2 | 1 | 3.4 |
| 3 | 2 | 7.3 |
| 4 | 2 | 8.9 |

図12-4 データの入力規則の統一

④アウトカムや曝露が 2 値の場合は 0、1 で作成する

“生存”、“死亡”の 2 値の場合、生存＝ 0、死亡＝ 1 としておきましょう。ロジスティック回帰分析やコックス回帰分析ではアウトカムは 0、1 の 2 値である必要があります。

## 5 最終手段

以上に注意を払い、問題がないデータのはずなのに、どうしてもファイルをR 上に読み込めない場合、筆者は最終手段として以下の方法を行います。

①オリジナルデータから日本語をすべて消し去る

日本語が含まれるため読み込めない場合があります。

②新しい csv ファイルを作成

Excel ファイルの場合は、マクロや計算式など目に見えない情報が含まれている可能性があるので、余分な情報が含まれない csv ファイルに変換します。変換する方法は Excel でファイルを開き、ファイル＞名前をつけて保存＞ファイルの種類を Excel ブックから csv（カンマ区切り）を選択して保存します（図 12-5）。

新しい csv ファイルを作成する際は、可能な限り情報量を落として最小限のデータセットを作成しましょう。オリジナルデータに実際には解析に必要としない列やコメントなどが入っている場合があります。

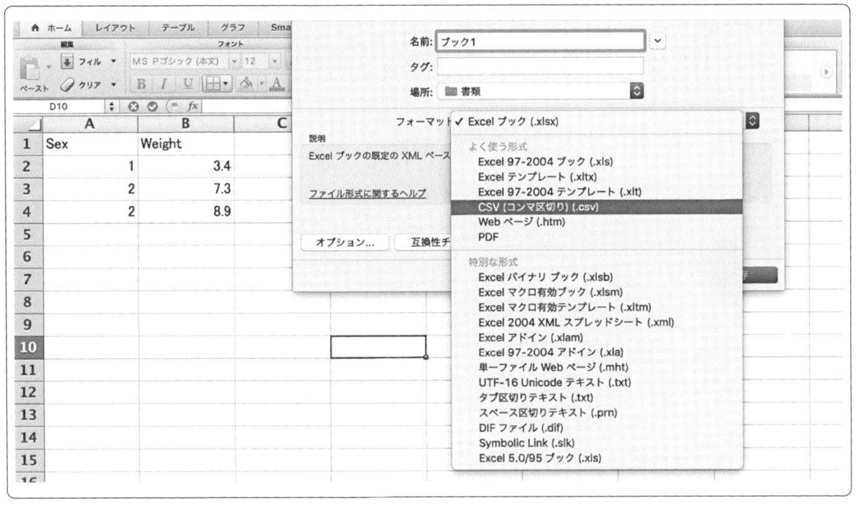


図12-5 Excel ファイルから csv ファイルへ変換する方法

# 第13章 Rで使うデータ型とデータ構造

**ポイント**

- データ型は実数、整数、論理値、文字列、因子、日付などがある
- データ構造はベクトル、行列、データフレーム、リストがある

本章で必要なパッケージ
- tidyverse

:「さて、入院日と退院日から在院日数を計算するか。Discday-Admdayで実行……。あれ？　数値じゃないってエラーが出ちゃった。そういえば、日付の計算ってDate型にしないとダメなんだっけ？　混乱してきたなぁ」

## 1 Rの代表的なデータ型

Rで用いる代表的なデータ型には表13-1に示すものがあります。関数によって使えるデータ型が異なるため、Rを使ってデータ分析を行うにあたりデータ型の違いを知っておく必要があります。最初はとっつきづらいかもしれませんが、すべてを覚える必要はありませんので、困ったらこの章に戻ってき

表13-1　データ型

| | 表示 | データ型の確認 | データ型への変換 |
|---|---|---|---|
| 実数 | numeric | is.numeric() | as.numeric() |
| 整数 | integer | is.integer() | as.integer() |
| 論理値 | logical | is.logical() | as.logical() |
| 文字列 | character | is.character() | as.character() |
| 因子 | factor | is.factor() | as.factor() |
| 日付 | Date | is.Date() | as.Date() |
| 欠損値 | NA | is.na() | |

て見直してみてください。

①実数：numeric

通常、数値は実数として認識されます。x というオブジェクトに数値を代入し、データ型の確認をしてみましょう。データ型の確認には `class()` を用います。

```
x <- 5.4
class(x)
```

```
[1] "numeric"
```

結果の最初に [1] と表示され、最初、つまり行の左端の結果はデータの何番目の要素についてのものであるかを表しています。結果の 1 行目は必ず [1] から始まります。2 行に渡り結果が表示される場合、2 行目の左端の結果がデータの 10 番目の要素に対するものであれば [10] と表示されます。

また、実数かどうかを確認する場合は `is.numeric()` を用います。実数であれば TRUE、そうでなければ FALSE を返します。

```
is.numeric(x)
```

```
[1] TRUE
```

実数以外を `is.numeric()` に入れると FALSE という結果が返ってきます。

```
is.numeric("A")
```

```
[1] FALSE
```

実数と認識できるものを `as.numeric()` を用いることで実数に変換することができます。「5.4」という文字列（後述）は `as.numeric()` で実数に変換され、計算ができるようになります。

```
as.numeric("5.4")
```

```
[1] 5.4
```

実数は numeric 以外に dbl と表示されることもあります。

②整数：integer

整数は整数のあとに L をつけることで整数として認識されます。x というオブジェクトに整数を代入し、データ型の確認をしてみましょう。データ型の確認には `class()` を用いましたね。

```
x <- 3L
class(x)
```

```
[1] "integer"
```

L をつけない場合、実数として認識されます。

```
y <- 7
class(y)
```

```
[1] "numeric"
```

整数かどうかを確認する場合は `is.integer()` を用います。整数であれば TRUE、そうでなければ FALSE を返します。

```
is.integer(x)
is.integer(y)
```

```
[1] TRUE
[1] FALSE
```

`as.integer()` を用いることで整数と認識できるものを整数に変換することができます。ただし、小数点以下は切り捨てられしまうので注意が必要です。

```
as.integer("7")
as.integer(4.5)
```

```
[1] 7
[1] 4
```

③論理値：logical

論理値は TRUE（または T）、FALSE（または F）で表されるデータ型で、条件判断に利用されます。条件判断に用いる記号は表 13-2 の通りです。

表13-2 R でよく用いられる演算子

| 記号 | 条件 |
|---|---|
| & | かつ |
| \| | または |
| == | 等しい |
| != | 等しくない |
| >= | 以上 |
| <= | 以下 |
| > | より大きい |
| < | 未満 |

x に数値を代入して、条件判断してみましょう。

```
x <- 6
```

x が 5 以上かどうかの条件判断を行います。

```
x >= 5
 [1] TRUE
```

続いて、x が 4 と等しいかどうかの条件判断を行ってみます。

```
x == 4
 [1] FALSE
```

整数や実数を論理値に変換することができます。0 は FALSE へ、NA（後述）は NA へ、それ以外はすべて TRUE へと変換されます。試しに 0、1、12.3 という 3 つの数値を変換してみましょう。

```
y <- c(0, 1, 12.3)
as.logical(y)
 [1] FALSE  TRUE  TRUE
```

### ④文字列：character

文字列は「" "」(「' '」でもよい) で挟んで表します。

```
x <- "Hello"
x
 [1] "Hello"
```

数値も引用符で挟むことで文字列として認識されます。データ型の確認は `class()` でした。

```
y <- "125"
class(y)
[1] "character"
```

文字列かどうかを確認する場合は `is.character()` を用います。文字列であればTRUE、そうでなければFALSEを返します。

```
is.character(y)
 [1] TRUE
```

他のデータ型から文字列への変換は `as.character()` を用います。

```
z <- 125
z <- as.character(z)
class(z)
 [1] "character"
```

### ⑤因子：factor

Rのデータ型で最も混乱のもととなるのがこの因子型です。因子型はがんのステージ（ステージⅠ、Ⅱ、Ⅲ、Ⅳ）や死因（心筋梗塞、脳梗塞、悪性腫瘍、肺炎……）などのカテゴリーに分類されるデータを表すデータ型です。因子型では水準（levels）という要素の個々の名前に対して、R 内部では整数に変換されています。データ型の確認は `class()` でしたが、もう少し詳しいデータ構造の確認には `glimpse()` を使用します。

"X"、"Y"、"Z" という 3 水準のカテゴリーを考えてみましょう。

```
fac <- factor(c("X", "Y", "Z", "Y", "Z"))
# この因子型データの構造を見てみましょう
glimpse(fac)
 Factor w/ 3 levels "X","Y","Z": 1 2 3 2 3
```

この因子型データは "X"、"Y"、"Z" の 3 つの水準からなり、データは 1、2、3、2、3 という整数からなることを示しています。"X"、"Y"、"Z" が levels（水準）、であり、R 内部では整数に変換されているのがわかります。

データの水準を確認するには `levels()` を使用します。

```
levels(fac)
[1] "X" "Y" "Z"
```

"X"、"Y"、"Z" という順に R 内部で 1、2、3 という整数に変換されています。

内部で割り当てる整数を変更するには `factor()` 内で `levels` を指定します。多変量回帰分析などでは因子型を説明変数にした場合、参照カテゴリーは 1 となります。

"Z", "Y", "X" という順に R 内部で 1, 2, 3 という順序になるように水準 (levels) を指定してみましょう。

```
fac2 <- factor(fac, levels=c("Z", "Y", "X"))
glimpse(fac2)

Factor w/ 3 levels "Z","Y","X": 3 2 1 2 1
```

水準が変更されていることがわかります。

⑥日付：date

Date は日付（年月日）を表すデータ型です。データを集める際には、日付データは "2019/03/31" のような形式で収集していると思いますが、csv からこの形式のデータを読み込むと文字列として読み込まれる場合があります。これを日付データに変換するには `ymd()` を用います。

```
ymd( 日付型に変換したいデータ )
```

例えば 2019 年 3 月 31 日を "20190331" として読み込んでいる場合、`ymd()` で日付データに変換できます。必ずしもこの順番に並んでいない場合もあるでしょう。"31032019" のように日、月、年の順序で並んでいるデータであれば `dmy()` を利用すれば正しい日付に変換してくれます。また、"2019/03/31" や "2019 年 03 月 31 日 " のように区切りの記号や日本語表記がある場合でも自動で認識して正しく日付に変換してくれます。また、西暦が 2 桁で表示されている場合も自動で判別してくれます。

"2019/03/31", "03-31-2019", "2019 年 03 月 31 日 " という文字列を日付データに変換してみましょう。

```
ymd("2019/03/31")
mdy("03-31-2019")
ymd("2019 年 03 月 31 日 ")
```

```
[1] "2019-03-31"
[1] "2019-03-31"
[1] "2019-03-31"
```

西暦は 2 桁表示されている場合も自動判別されます。

```
ymd("190331")
```

```
[1] "2019-03-31"
```

⑦欠損値：NA

NA は not available の略で、欠損値を表します。論理値に分類されます。

```
class(NA)
[1] "logical"
```

欠損値かどうかの確認には is.na() を用います。欠損値であれば TRUE、そうでなければ FALSE を返します。as.na() という関数は存在しません。

```
x <- NA
is.na(x)
[1] TRUE
```

## 2 R の代表的なデータ構造

R で用いる代表的なデータ構造には表 13-3 に示すようなものがあります。データ構造を意識しなくても分析を行うことができますが、知っておくと便利な場面が多いため余裕のある方はぜひ理解しておいてください。データ型同様、最初はとっつきづらいかもしれません。すべてを覚える必要はありませんので、困ったらこの章に戻ってきて見直してください。

表13-3 代表的なデータ構造

| | |
|---|---|
| ベクトル | 1 つ以上のデータの集合。すべて同じデータ型 |
| 行列 | 行、列の二次元からなるデータの集合。すべて同じデータ型 |
| データフレーム | 行列同様二次元だが、列ごとにデータ型が異なってもよい |
| リスト | あらゆるデータ型、データ構造を格納できる |

①ベクトル：vector

ベクトルは最も基本的な一次元のデータの集合（データが一列に並んでいる）です。ベクトルの中にあるデータはすべて同じデータ型である必要があります。ベクトルを作成する関数は c() です。

### ベクトルの作成

a:b のようにコロン (:) を使用すると範囲が a から b で差が 1 の等差数列を返します。

```
vec1 <- c(1:10)
vec1
```

```
[1] 1  2  3  4  5  6  7  8  9 10
```

### 文字型ベクトル

文字型のデータからなるベクトルも同様に作成できます。

```
vec2 <- c("A", "B", "AB", "O")
vec2
```

```
[1] "A" "B" "AB" "O"
```

## ②行列：matrix

行列は二次元のデータの集合です。ベクトル同様に行列の中にあるデータはすべて同じデータ型である必要があります 行列を作成する関数は `matrix()` です。

### 行列の作成

```
matrix(data, nrow, ncol, byrow)
```

| | |
|---|---|
| data | 行列を作るためのベクトルデータ |
| nrow | 行の数 |
| ncol | 列の数 |
| byrow | TRUE：1 行目にデータを並べた後、2 行目、3 行目とデータを格納<br>FALSE：1 列目にデータを格納した後に 2 列目、3 列目とデータを格納 |

まず、1 から 8 までの実数から 4 行 2 列のベクトルを作成してみましょう。1 列目が 1〜4、2 列目が 5〜8 のベクトルができました。

```
mat1 <- matrix(1:8, nrow = 4, ncol = 2)
mat1
```

```
     [,1] [,2]
[1,]    1    5
[2,]    2    6
[3,]    3    7
[4,]    4    8
```

次に byrow = TRUE を指定してみましょう。数値の入る順序が変わったことがわかります。

```
mat2 <- matrix(1:8, nrow = 4, ncol = 2, byrow = TRUE)
mat2
```

```
     [,1] [,2]
[1,]    1    2
[2,]    3    4
[3,]    5    6
[4,]    7    8
```

③データフレーム：data frame（ティブル：tibble）

データフレーム・tibble は行列同様に二次元のデータの集合です。これらの2つほぼ同じものなので本書ではデータフレームという呼称で統一します。

データフレームは行列同様、列の中にあるデータはすべて同じデータ型である必要がありますが、行は必ずしも同じデータ型である必要がありません。

### データフレームの作成

データフレームを作成する関数は tibble() です。

異なるデータ型のベクトルからデータフレームを作成してみましょう。

```
id <- c(1:5)
sex <- c("male", "male", "male", "female", "female")
disease <- as.factor(c("HT", "DM", "HT", "MI", "DM"))
df <-tibble(id, sex, disease)
df
```

```
 A tibble: 5 x 3
     id sex    disease
  <int> <chr>  <fct>
1     1 male   HT
2     2 male   DM
3     3 male   HT
4     4 female MI
5     5 female DM
```

データフレームは1行1患者や1入院などの解析単位、各列に変数が並びます。エクセルでデータ入力する際にはデータフレームと同じ形で収集しておく必要があります。

④リスト：list

リストはあらゆるデータ構造を格納することができます。リスト内の要素はデータ型やデータ構造が異なっていても構いません。リストの中の要素としてリストを格納することも可能です。統計解析を行った結果はしばしばリストとして返されますので、ここでリストの取り扱い方の基礎を覚えてください。

リストの作成には **list()** を使用します。ベクトル、行列、データフレームからなるリストを作成してみましょう。

```
lt <- list(vec1, mat1, df)
lt
```

```
[[1]]
 [1]  1  2  3  4  5  6  7  8  9 10

[[2]]
     [,1] [,2]
[1,]    1    5
[2,]    2    6
[3,]    3    7
[4,]    4    8

[[3]]
  id    sex disease
1  1   male      HT
2  2   male      DM
3  3   male      HT
4  4 female      MI
5  5 female      DM
```

リストの要素を取り出すには [[ ]] を使用します。リストの 1 番目の要素を取り出してみましょう。

```
lt[[1]]
```

```
 [1]  1  2  3  4  5  6  7  8  9 10
```

リストの要素のさらにその中の要素を取り出すには [[ ]][ ] のようにカッコをつなげます。リストの 3 番目の要素（ここではデータフレーム）の 3 行 1 列の要素を取り出すには [[3]][3,1] と指定します。

```
lt[[3]][3,1]
```

```
[1] 3
```

Column

## 自作関数

135ページでは重回帰を用いて各変数の係数を求めました。

```
model_linear <- glm(
  LOS ~ Age + Sex + DM + Severity + New_Treatment,
  family = gaussian(link = "identity"),
  data = df)
```

さて、本データを75歳以上と75歳未満の2グループに分割して、それぞれのデータで重回帰を行いたいときはどうしますか？　まずは、上のスクリプトをコピペして変数名を変更する方法が考えられます。

```
# 75歳以上と75歳未満の集団に分割
df_AgeOver75 <- df %>%
  filter(Age >=75)
df_AgeUnder75 <- df %>%
  filter(Age < 75)

model_linearAgeOver75 <- glm(
  LOS ~ Age + Sex + DM + Severity + New_Treatment,
  family = gaussian(link = "identity"),
  data = df_AgeOver75) # df_AgeOver75へ変更
summary(model_linearAgeOver75)$coefficients
```

```
                Estimate Std. Error   t value     Pr(>|t|)
(Intercept)  -11.5329943 10.2014021 -1.1305303 2.593192e-01
Age            0.2538438  0.1331578  1.9063373 5.773503e-02
Sex           -0.6271627  0.8381325 -0.7482859 4.549800e-01
DM            -1.0226543  1.0969536 -0.9322675 3.520836e-01
```

```
Severity          1.3157743  0.1469800  8.9520625 7.567929e-17
New_Treatment    -0.8916082  0.9048439 -0.9853724 3.253789e-01
```

```
model_linearAgeUnder75 <- glm(
  LOS ~ Age + Sex + DM + Severity + New_Treatment,
  family = gaussian(link = "identity"),
  data = df_AgeUnder75) # df_AgeUnder75 へ変更

summary(model_linearAgeUnder75)$coefficients
```

```
                 Estimate Std. Error     t value     Pr(>|t|)
(Intercept)    4.61126324  7.7153551  0.59767350 5.506358e-01
Age            0.05170324  0.1093986  0.47261327 6.369296e-01
Sex            0.08214404  0.7077867  0.11605762 9.077064e-01
DM            -0.11698166  1.7712480 -0.06604477 9.473986e-01
Severity       1.19144257  0.1674738  7.11420242 1.362669e-11
New_Treatment  0.18453784  1.0207325  0.18078962 8.566892e-01
```

2 グループであればコピペで対応可能でしょう。しかしグループ数が増えるにつれ、コピペでは以下の理由で対応が困難となってきます。

- スクリプトが長くなり読みづらくなる
- 後からスクリプトを修正するときに、すべての対応箇所を直す必要がある（例：説明変数から DM を除くことになった場合、すべてのモデルで DM を除く必要あり）

いずれも解析ミスにつながりうる問題です。この状況を打破できるのが自作関数です。本書では既存パッケージの関数の扱い方を紹介してきましたが、今回はその関数を自ら作成します。

具体的には以下の構文を用います。

```
自分の好きな関数名 <- funtion( 引数 ) {
…
…
return( 出力したい結果 )
}
```

それでは、上記の重回帰を自作関数によって実行してみましょう。具体的には、以下の内容を実行する関数を自分で作成します。

1. 投入されたデータフレームを用い、説明変数 Age, Sex, DM, Severity, New_Treatment、応答変数 LOS の線形モデルを当てはめる
2. 線形モデルの係数を取り出す

スクリプトは以下です。

```
# 自作関数の作成
MyFunction <- function(newdata){
  model <- glm(
  LOS ~ Age + Sex + DM + Severity + New_Treatment,
    family = gaussian(link = "identity"),
    data = newdata)  # data = newdata にする
  res <- summary(model)$coefficients
  return(res)
}
```

上の例では自作関数名を MyFunction としました (MyF でも CalculateLinearModel でも何でも OK です)。引数は newdata としました (x でも data でも何でも OK です)。引数とは {} の中で使用される変数です。{} の中には関数本体となるスクリプトが書かれます。今回の引数は newdata であるため、glm() 内で使用するデータ名を data =

newdata とすることに注意しましょう。glm() で作成したモデルを model という変数に格納し、summay(model)$coefficients で係数を取り出しています。その結果を res に格納し、最終的に出力したい結果として return() の中に入れます。model や res という変数名は何でも OK です。これで MyFunction の作成は終わりです。

newdata に 75 歳以上の集団と 75 歳未満の集団 (df_AgeOver75 と df_AgeUnder75) を投入すれば、それぞれの結果が出力されます。

```
MyFunction(df_AgeOver75)
```

```
                Estimate Std. Error    t value     Pr(>|t|)
(Intercept)  -11.5329943 10.2014021 -1.1305303 2.593192e-01
Age            0.2538438  0.1331578  1.9063373 5.773503e-02
Sex           -0.6271627  0.8381325 -0.7482859 4.549800e-01
DM            -1.0226543  1.0969536 -0.9322675 3.520836e-01
Severity       1.3157743  0.1469800  8.9520625 7.567929e-17
New_Treatment -0.8916082  0.9048439 -0.9853724 3.253789e-01
```

```
MyFunction(df_AgeUnder75)
```

```
                Estimate Std. Error     t value     Pr(>|t|)
(Intercept)   4.61126324  7.7153551  0.59767350 5.506358e-01
Age           0.05170324  0.1093986  0.47261327 6.369296e-01
Sex           0.08214404  0.7077867  0.11605762 9.077064e-01
DM           -0.11698166  1.7712480 -0.06604477 9.473986e-01
Severity      1.19144257  0.1674738  7.11420242 1.362669e-11
New_Treatment 0.18453784  1.0207325  0.18078962 8.566892e-01
```

なお、自作関数の {} 内で作った変数は自作関数の外部（解析中の環境）に影響を及ぼしません。つまり、MyFunction を実行しても model と res という変数は作成されません。

このように自作関数をマスターしてしまえば、データが 10 個でも 100 個でも対応可能となり解析の幅が大きく広がります。

# 第14章 相関係数

**ポイント**

- cor.test() で変数の相関係数の算出する
- cor() で複数の相関関係を同時に求める

本章で必要なパッケージ ● tidyverse

：「あ、Aくん！　Rを使って統計解析ができるようになったんだって？　ちょっとこのデータの相関係数を出してよ」

：「はい、教授！　わかりました！　（相関関係ってどうやって求めるんだろう……、あとで調べなきゃ）」

## 1 相関係数

2つの連続変数に関連があるかどうかを示す指標として、相関係数があります。相関係数は -1 から 1 の値をとり、その絶対値が 1 に近いほど強い相関があります。値が正であれば正の相関、値が負であれば負の相関がある、といいます。分野により異なりますが、医学研究では一般に相関係数を r とすると相関の強さは下記のように説明されます。

| | |
|---|---|
| $\|r\|=0.7〜1$ | 強い相関がある |
| $\|r\|=0.4〜0.7$ | やや相関あり |
| $\|r\|=0.2〜0.4$ | 弱い相関あり |
| $\|r\|=0〜0.2$ | ほとんど相関なし |

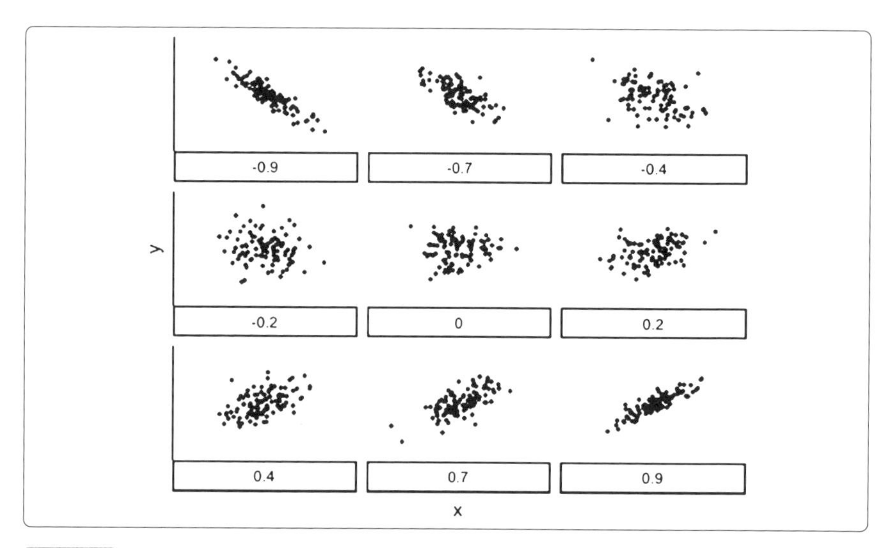


図14-1　x と y の散布図と相関係数

図 14-1 のように 2 変数の散布図を描くと相関係数が -1、1 に近づくと、データは y=-x、あるいは y=x の線上に集まってくることがわかります。一方相関係数が 0、つまり無相関のときにはデータはでたらめに広がった状態になっています。相関係数を求める際には、事前に散布図を描いておくことで、おおよそどの程度の相関があるか予測することができます。

試しに体重と身長の散布図（図 14-2）を図 14-1 と照らし合わせてみると、おおよその相関係数の値が 0.7〜0. 9の間であることがわかります。

ヒストグラムを描き 2 変数両方が正規分布とみなせる分布であれば、Pearson の相関係数を、どちらか一方でも正規分布とみなせないときには、Spearman の順位相関係数を使用します。

Spearman の相関係数はデータの順位さえわかれば分布によらず適用可能です。検査値などの連続変数は、図 14-3 のように右に裾を引いていることが多く正規分布ではない場合があります。そのような場合は Spearman の相関係数が適切です。

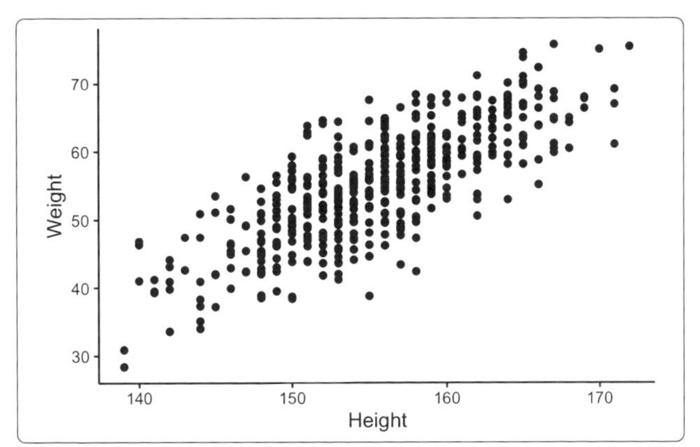


図14-2
体重と身長の散布図

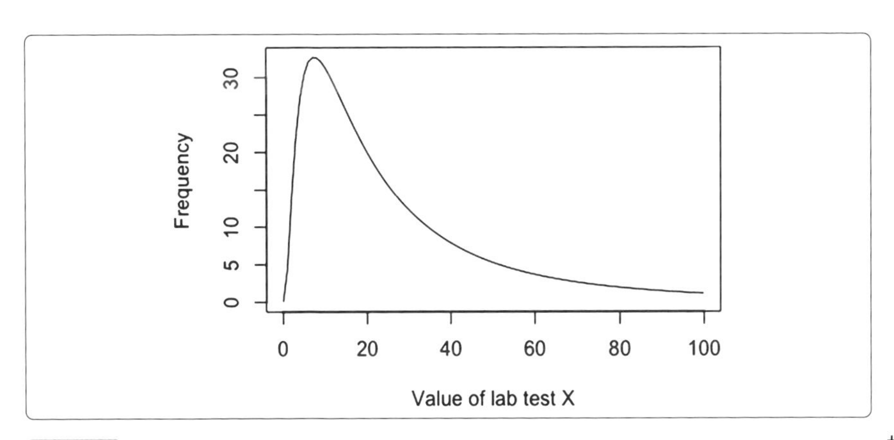


図14-3　正規分布でない場合（検査値 X の値の頻度）

相関係数を求めるには `cor.test()` を用います。

```
cor.test (変数 1, 変数 2, method)
```

| | |
|---|---|
| 変数 1, 2 | 相関を求める変数 |
| method | "pearson" または "spearman" を指定 |

実際に相関係数を求めてみましょう。

```
# tidyverse パッケージの呼び出し
library(tidyverse)
# サンプルデータの読み込み
df <- read_csv("R_book_data.csv")
# Pearson の相関係数
cor.test(df$Height, df$Weight, method = "pearson")
```

```
        Pearson's product-moment correlation

data:  df$Height and df$Weight
t = 26.948, df = 498, p-value < 2.2e-16   1)
alternative hypothesis: true correlation is not equal to 0
95 percent confidence interval:   2)
 0.7319462 0.8036164
sample estimates:
      cor
0.7702016
```

1) $p$ 値が有意水準の 0.05 より小さいので、相関があることがわかりました。ここで注意したいのは、$p$ 値はが小さいからといって相関が強いわけではありません。

2) 相関係数は 0.77（95%信頼区間：0.73〜0.80）なので、前述の相関係数の強さと照らし合わせると、「2 変数の間には有意に正の相関がある」といえます。

Spearman の順位相関係数を求めるためには、先ほどのスクリプトに `method = "spearman"` を指定します。今回のデータに右に裾を引く検査値は含まれないので、先ほどと同じ `Height` と `Weight` を使用します。

```
# Spearman の順位相関係数
cor.test(df$Height, df$Weight, method = "spearman")
```

```
	Spearman's rank correlation rho

data:  df$Height and df$Weight
S = 5134252, p-value < 2.2e-16
alternative hypothesis: true rho is not equal to 0
sample estimates:
      rho   1)
0.7535549
```

1）相関係数は 0.75 で先ほど Pearson の相関係数として求めた場合とあまり変わらない値が得られました。

## 2 複数の相関係数を同時に算出する

cor() を使用して複数の変数の相関行列を表示することもできます。その際には相関行列を求めたい変数のみでデータフレームを作成しておきます。

```
cor(data, method)
```

| | |
|---|---|
| data | 相関を求める変数のみで作成したデータフレーム |
| method | "pearson" または "spearman" を指定 |

Height、Weight、Age の 3 変数のデータフレームを作成し、その後相関行列を求めてみましょう。

```
# データフレームの準備
df_cor <- df %>%
  select(Height, Weight, Age)
# 相関行列
cor(df_cor, method = "pearson")
```

```
            Height      Weight         Age
Height 1.000000000  0.77020158  0.008783195
Weight 0.770201584  1.00000000 -0.021670638
Age    0.008783195 -0.02167064  1.000000000
```

このように相関行列を求めることで、アウトカムと関連する変数の「あたり」をつけたり、相関の強すぎる 2 つの説明変数を回帰式に入れていないかを確認することができます。例えば Height と Weight は相関係数が 0.77 なので回帰式を作成する際に、両方独立変数として投入すると多重共線性（第 10 章、139 ページ参照）という問題が起こる可能性があります。

# 第15章 ROC 曲線

ポイント

- roc() と plot() で ROC 曲線を描画する
- roc.test() で ROC 曲線の比較を行う

本章で必要なパッケージ　● tidyverse　● pROC

：「そういえばこの間行った学会では ROC 曲線というのを描いていたな。以前 S 先生も疾患 Z の死亡予測スコアをつくる研究をしていたから、そのスコアを使って ROC 曲線を描いてみよう！」

## 1 ROC 曲線とは

検査値から疾病を診断する、重症度スコアからその後の患者のアウトカムを予測するなど、連続変数と二値アウトカムとの関係を評価することが必要な場面は多いでしょう。このような検査値や重症度の有用性を評価する際に、ROC 曲線（Receiver Operating Characteristic curve）がしばしば利用されます。

ROC 曲線には特に重要な 2 通りの利用方法があります。一つは、**スクリーニング検査などの適切なカットオフポイントを決定**する場合、もう一つは**複数の検査の有用性を比較**する場合です。

### ①感度・特異度と ROC 曲線との関係

検査結果と疾患の有無とでクロス集計を行うと表 15-1 のようになります。

表15-1　検査結果と疾患の有無

| | | 疾患の有無 | |
|---|---|---|---|
| | | 疾患あり | 疾患なし |
| 検査結果 | 陽性 | a | b |
| | 陰性 | c | d |
| | 合計 | a+c | b+d |

真陽性 =a（疾患があり、検査も陽性）
偽陽性 =b（疾患がないが、検査が陽性）
偽陰性 =c（疾患があるが、検査が陰性）
真陰性 =d（疾患がなく、検査も陰性）
であり、感度と特異度は以下のように定義されます。
感度 =a/(a+c)
特異度 =d/(b+d)

**図 15-1** は疾患のある人、ない人の検査値の分布を示しています。検査値によって疾患の有無の分布が重なっており、カットオフポイントと疾患の有無で真陽性、偽陽性、真陰性、偽陰性に分かれます。カットオフポイントを左に移動させると偽陰性が減り、真陽性が増えます。つまり、疾患ありのうち陽性の割合＝感度が上昇します。

一方、カットオフポイントを右に移動させると偽陽性が減り、真陰性が増えます。つまり、疾患なしのうち陰性の割合＝特異度が上昇します。

このようにカットオフポイントをずらしていき、各検査値における感度を縦軸に、特異度を横軸にとったグラフが ROC 曲線です（**図 15-2**）。ROC 曲線の下の面積（area under the ROC、AUROC）は 0.5〜1.0 の間の値をとり、0.5 では検査によって全く疾患の識別ができず、1.0 では完全に識別可能となります。すなわち AUROC が 1 に近いほど有用であると評価することになります。

### ②カットオフポイントの決定

機械的に最適なカットオフポイントを決定する方法には Youden index を用います。Youden index は感度 -（1- 特異度）で計算され、これが最も大きくなる位置をカットオフポイントとして選択します。

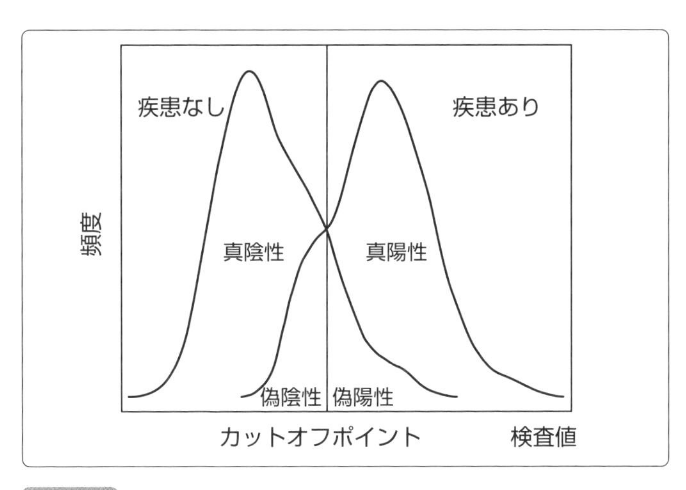


図15-1　疾患のある人とない人の検査値

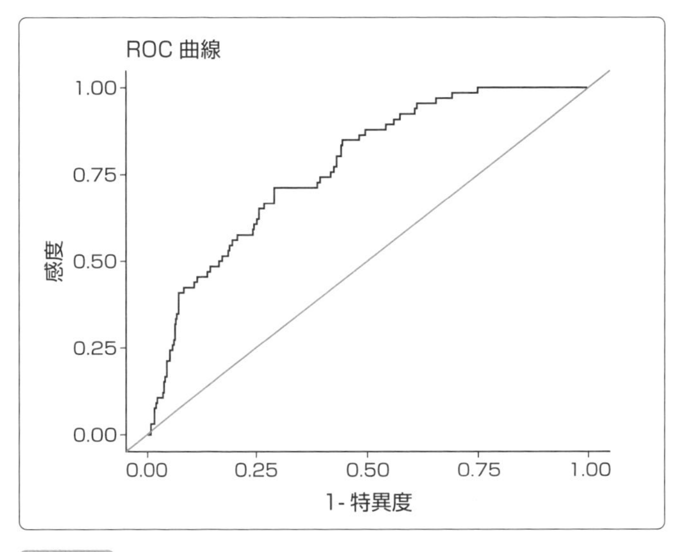


図15-2　ROC 曲線

## 2 Rのスクリプト

### ① ROC曲線の描画

ROC曲線の描画には pROC パッケージの roc() と ggroc() を利用します。

まず、roc() によってROC curveを描画するための準備を行います。roc() の結果をオブジェクトに格納しておきます。

```
roc(Y ~ X, data, ci)
```

| | |
|---|---|
| Y | 疾患の有無（2値変数） |
| X | 検査の変数 |
| data | 変数を含むデータフレームを指定 |
| ci | TRUEを指定するとAUROCの信頼区間を算出 |

ROCの描画は ggroc を用いて行います。文字化けする場合は100ページの補足を参照して下さい。

```
ggroc(ROC, legacy.axes = TRUE)
```

| | |
|---|---|
| ROC | roc()で作成したオブジェクト |
| legacy.axes | TRUE：x軸の目盛りを1－特異度に合わせて左が0、右が1となるように表示 |

実際にスクリプトを書いてみましょう。

```
# 必要なパッケージの呼び出し
library(pROC)
library(tidyverse)

# サンプルデータの読み込み
df <-  read_csv("R_book_data.csv")

# 死亡を予測する予測スコア (pre1) がどの程度死亡を予測するのかを ROC 曲線で評価
```

```
ROC1 <- roc(Death ~ pre1, data = df, ci = TRUE)
ROC1

Call:
roc.formula(formula = Death ~ pre1, data = df, ci = TRUE)
Data: pre1 in 434 controls (Death 0) < 66 cases (Death 1).
Area under the curve: 0.6336
95% CI: 0.5617-0.7055 (DeLong)
```
1)

1）AUROC は 0.6336（95%信頼区間：0.5617-0.7055）でした。

```
# ROC 曲線の描画
ggroc(ROC1, legacy.axes = TRUE)+
  geom_abline(size = 0.5) + # 45 度線となるラインを描画

  theme_classic()+

  labs(title = "ROC 曲線 (pre1)", x = "1- 特異度 ", y = " 感度 ")
```

横軸を 1 －特異度、縦軸を感度とする ROC 曲線を描画することができました（図 15-3）。

15 ROC曲線

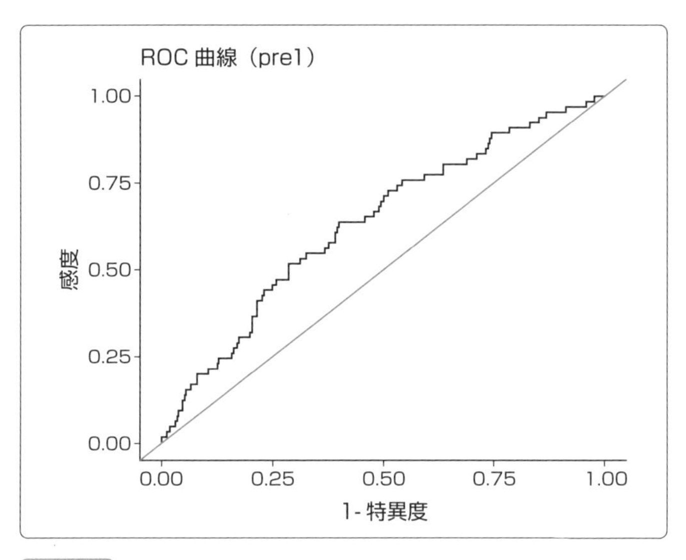


図15-3 ROC 曲線（pre1 で予測）

さらに、カットオフポイントを Youden index によって求めます。Youden index によるカットオフポイントは pROC パッケージの `coords()` で求められます。

```
coords(ROC, x, best.method)
```

ROC roc() で作成したオブジェクト

| | |
|---|---|
| ROC | roc() で作成したオブジェクト |
| x | "best"：最善のカットオフ値を決定する |
| best.method | "youden"：最善のカットオフ値を決定する方法 |

```
# 閾値の決定
coords(ROC1, x = "best", best.method = "youden")
threshold specificity sensitivity
1 0.5520769   0.6013825   0.6363636
```

Youden index を用いた `pre1` のカットオフ値は 0.552 であり、その際の特異度、感度がそれぞれ 0.601、0.636 であることが表示されています。

## 3 ROC 曲線の比較

同じ診断に対して複数の検査の比較を行う場合には AUROC を比較します。**roc.test()** を用いて 2 つの AUROC を比較することができます。

```
roc.test (ROC1, ROC2)
```

ROC1, 2　roc() で作成したオブジェクト

実際にスクリプトを書いてみましょう

```
# 別の予測スコア（pre2）がどの程度死亡を予測するのかを ROC 曲線で評価
ROC2 <- roc(Death ~ pre2, data = df, ci = TRUE)
ROC2
```

```
Call:
roc.formula(formula = Death ~ pre2, data = df, ci = TRUE)
Data: pre2 in 434 controls (Death 0) < 66 cases (Death 1).
Area under the curve: 0.7709
95% CI: 0.7157-0.8261 (DeLong)
```
[1]

1）AUROC は 0.7709（95% 信頼区間：0.7157-0.8261）でした。さらに、カットオフポイントを Youden index によって求めます。

```
coords(ROC2, x = "best", best.method = "youden")
threshold specificity sensitivity
1 0.8988222   0.7096774   0.7121212
```

Youden index を用いた pre2 のカットオフ値は 0.899 であり、その際の特異度、感度がそれぞれ 0.710、0.712 であることが表示されています。

2 つの ROC 曲線を同時に描くと視覚的な比較が可能です。

```
# 2 つの ROC 曲線の比較
ggroc(list(pre1 = ROC1, pre2 = ROC2), legacy.axes = TRUE,
      aes("linetype")) + # aes("linetype")：線の種類を変更
```

```
geom_abline(size = 0.5) + # 45 度線となるラインを追加
theme_classic()+
labs(title = "ROC 曲線 ", x = "1- 特異度 ", y = " 感度 ",
     color = "Prediction score")
```

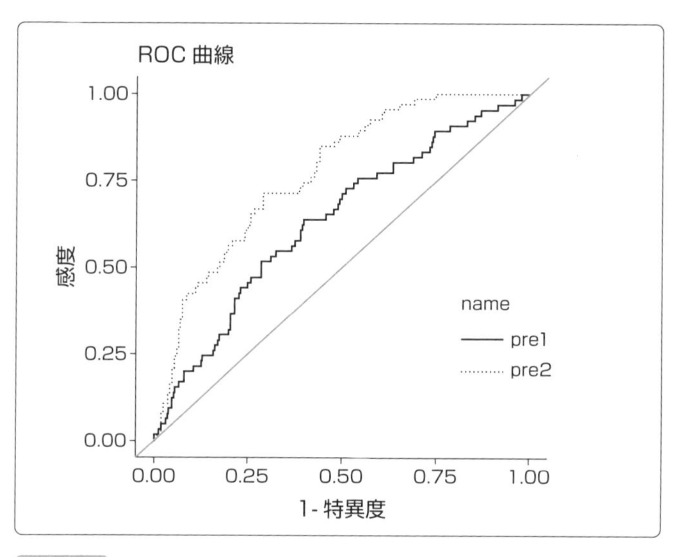


図15-4　ROC 曲線（pre2 で予測）

```
# 2 つの ROC 曲線が異なるかどうかを検定します
roc.test(ROC1, ROC2)
```

```
 DeLong's test for two correlated ROC curves
data:  ROC1 and ROC2
Z = -2.9722, p-value = 0.002956  1)
alternative hypothesis: true difference in AUC is not equal to 0
 95 percent confidence interval:
  -0.22784935 -0.04676313
AUC of roc1 AUC of roc2  2)
  0.6336056   0.7709119
```

1) 2つのROCを比較した検定結果はp=0.003でした。
2) ROC1、ROC2のAUROCはそれぞれ0.63、0.77であり、pre2のほうが有意に死亡を予測するという結果でした。

# 第16章 予測モデル

ポイント

- 予測モデルの作成は予測モデル報告ガイドラインであるTRIPODを参照
- モデルの性能評価指標には、適合度、判別、較正、再分類などが存在
- Web計算ツールの提供、ノモグラム、整数スコアなどでモデルを提示

本章で必要なパッケージ
- tidyverse
- pROC
- caTools
- rms
- epiR
- binom
- ResourceSelection

:「疾患Zは新しい病気だから、患者さんの予後を予測するのが難しいなあ。そうだ、今まで集めたデータで予後予測スコアを作ってみたらどうかな。予後予測スコアって世の中にたくさんあるんだけどどうやって作っているんだろう?」

## 1 予後予測モデル

予後予測モデル(prognostic prediction model)とは、各個人の臨床的アウトカムを予測する分析モデルを指します。例えば、がんの5年生存率、機能的予後、入院期間などを臨床的アウトカムと設定して、ある個人や集団の予後を評価する際に使用します。本書では、予測モデル報告ガイドラインであるTransparent Reporting of multivariable prediction models for Individual Prognosis Or Diagnosis (TRIPOD) (Ann Int Med. 2015)の

予後予測モデル報告法に沿ってモデルの作成手順を解説します。

本章ではサンプルデータ "R_book_data_pp.csv" を使用します。これは、架空のある疾患Ｚの患者の入院データです。アウトカムの Death（死亡，2値変数）を患者背景（Age, Sex, DM, Stroke, MI）から予測していきます。

①予後予測モデル作成手順

予後予測モデル作成は以下の手順で行います。

①対象集団とアウトカムの決定 ②モデル形式の決定 ③予測因子の決定 ④モデルの性能評価 ⑤妥当性の検証 ⑥提示法の決定

今回①に関しては、データに含まれる疾患Ｚの入院患者を対象として、予後を予測するモデルを作成します。

②モデル形式の決定

アウトカムとする変数の型に応じて、利用される統計モデルもある程度決定されます。例えば、アウトカムが術後30日死亡のような2値変数であれば、ロジスティック回帰モデル、アウトカムが生存時間であればCox比例ハザードモデルを使用することが多いです。本書では、死亡をアウトカムとしてロジスティック回帰で予測モデルを作成します。

③予測因子の決定

予測因子を選択する際には、臨床的な知見や既報に基づいて候補となりうる因子を決定します。その際、一般臨床で測定しない実用性の低い因子を投入していないか、最終的な提示方法で整数スコアモデル（後述）を予定している場合は、多重共線性（第10章137ページ参照）が生じる相関の高い因子を投入していないかなどを確認します。変数増減法などのように自動で投入する因子を決定する方法も存在しますが、本書では割愛します。ここでは、疾患Ｚの予後予測因子として Age, Sex, DM, Stroke, MI を選択しました。

## モデルの作成

以下のように入力し、予測モデルを作成してください。なお後述しますが、今回はデータが1つしかないため、データをモデル作成用とモデルの性能検証用の2つに分割しています。

```
# パッケージの呼び出し
library(tidyverse)
library(pROC)
library(caTools)
library(rms)
library(epiR)
library(binom)
library(ResourceSelection)

# データの読み込み
df <- read_csv("R_book_data_pp.csv")

# データを予測モデル作成用と検証用の2つに分割
set.seed(123) # 乱数のシードを設定
split <- sample.split(df$Death, SplitRatio = 0.7)
train_data <- df %>%
  filter(split == TRUE) # モデル作成用データ
test_data <- df %>%
  filter(split == FALSE) # 検証用データ

# ロジスティック回帰による予測モデルの作成
model <- glm(Death ~ Age + Sex + HT + DM + Stroke + MI,
             family = binomial(link = logit),
             data = train_data)
```

④モデルの性能評価

作成したモデルは判別力（discrimination）でアウトカムを起こす患者と起こさない患者を識別できる性能を評価し、較正力（calibration）で予測値と観測値との一致具合を評価します。アウトカムが2値の場合に、判別力はc

統計量（Concordance index）で評価します。c 統計量は ROC 曲線の曲線下面積（area under the curve: AUC）と一致します。較正力の評価は calibration plot を描き、Hosmer-Lemeshow 検定を行います。

| モデルの性能の指標 | 種類 |
|---|---|
| **適合度（goodness of fit）**<br>モデルのデータへの当てはまりの良さを示す指標 | 決定係数（線形回帰モデル）<br>疑似決定係数（ロジスティック回帰モデル）<br>一般化決定係数（コックス回帰モデル）<br>赤池情報量基準（Akaike Information Criterion: AIC）<br>ベイズ情報量基準（Bayesian Information Criterion: BIC） |
| **判別（discrimination）**<br>二値のアウトカムを正しく判別できているかを評価する指標 | C 統計量（C statistic）（ロジスティック回帰モデル）<br>Harrel の C 統計量（コックス回帰モデル） |
| **較正（calibration）**<br>予測値と実測値の一致の程度 | 予測値の平均値と実測値の図示（calibration plot）<br>Hosmer-Lemeshow 検定 |
| **再分類（reclassification）**<br>すでに存在する予測モデルに予測変数を追加した際の予測改善の指標 | 純再分類改善度（net reclassification improvement）<br>統合識別改善度（integrated discrimination improvement） |

### 判別力

まず、作成したモデルで `test_data` に含まれる対象者の死亡確率を求めます。得られた死亡確率で ROC 曲線を描いて c 統計量を求め判別力を確認します。

```
# アウトカムが起こる確率
test_data$prob <- predict(model, newdata = test_data,
  type = "response")
# ROC 曲線
```

```
roc_obj <- roc(test_data$Death ~ test_data$prob, ci = TRUE)
ggroc(roc_obj, legacy.axes = TRUE) +
  geom_abline(color = "dark grey", size = 0.5) +   # 45 度線
  labs(title = "ROC curve", x = "1-Specificity", y = "Sensitivity")
```

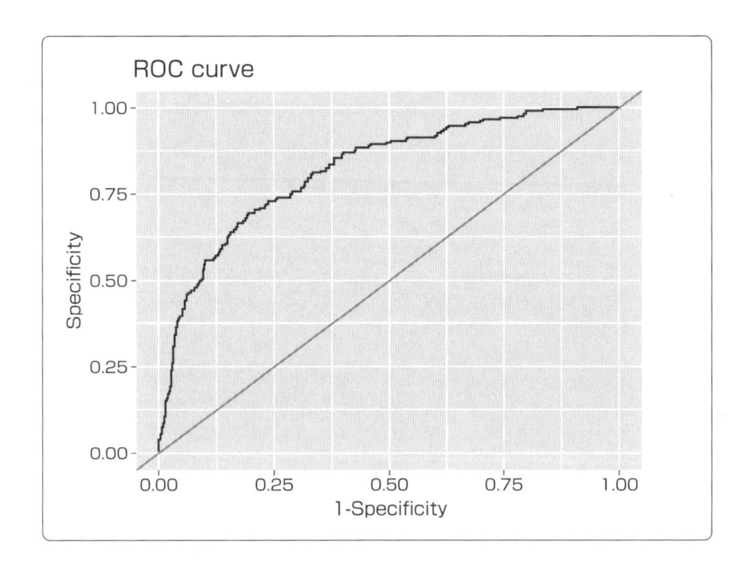


```
# C-statistics (Area under the curve)
auc(roc_obj)
```

```
Area under the curve: 0.8203
```

c 統計量がいくつ以上ならよいかという明確な決まりはありませんが、一般に 0.90 以上で Excellent、0.8-0.9 で Good、0.7-0.8 で Fair、0.6-0.7 で Poor と表されます。今回の結果では c 統計量は 0.8203 であり、Good な判別力を有していると言えます。

### 較正力

次にキャリブレーションプロットを描画し Hosmer-Lemeshow 検定により較正力を確認します。まず、得られた予測確率を 10 のビン（等間隔の区間）に分割した `prob_bin` 変数を作成します。

```
# 予測確率を 10 のビンに分ける
test_data$prob_bin <- cut(test_data$prob,
  breaks = seq(0, 1, by = 0.1))
```

各ビンの平均の予測確率と、実際の死亡割合、人数を表す変数を作成し新たなデータフレーム calib_data を作成します。

```
# 各ビンの実際のアウトカムの頻度と予測確率の平均を計算
calib_data <- test_data %>%
  group_by(prob_bin) %>%
  dplyr::1) summarize(mean_predicted_prob = mean(prob,
    na.rm = TRUE),  # 平均の予測確率
    observed_rate = mean(Death, na.rm = TRUE), # 実際の死亡割合
    n = n() # 人数
    )
```

1) conflict しているのでパッケージを明示。conflict のコラム（23 ページ）を参照。

calib_data を用いてキャリブレーションプロットを描出します。

```
# キャリブレーションプロット
ggplot(calib_data,
       aes(x = mean_predicted_prob,
           y = observed_rate))+
  geom_point()+
  geom_line()+
  geom_abline(intercept = 0, slope = 1,
              linetype = "dashed", color = "red")+
  xlim(0,1)+
  ylim(0,1)+
  labs(
    title = "Calibration Plot",
    x = "Mean Predicted Probability",
    y = "Observed Death proportion"
  )
```

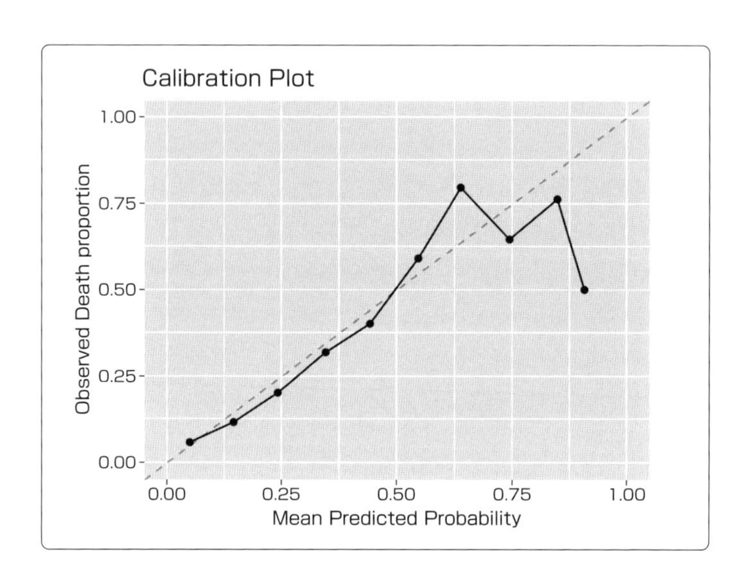


観察した実際の死亡割合と予測した死亡確率が一致する場合は、45度線上にplotされます。逆に大きく乖離するほど点は45度線から離れます。Hosmer-Lemeshow検定を行い、p値を確認します。

```
# Hosmer-Lemeshow 検定
hl_test <- hoslem.test(model$y, fitted(model), g = 10)  # 10のビン
hl_test
```

```
Hosmer and Lemeshow goodness of fit (GOF) test

data:  model$y, fitted(model)
X-squared = 4.6296, df = 8, p-value = 0.7963
```

帰無仮説は「両者の頻度の分布が同じ」なので、p値が0.05より小さい場合には較正がうまくいっていないと判定します。

### ⑤モデルの妥当性検証

モデルの妥当性検証には大きく分けて、内部検証（internal validation）と外部検証（external validation）の 2 種類が存在します。内部検証では、1 つのデータを予測モデルを作成するデータと作成したモデルの検証を行うデータに分割します。一方、外部検証はモデルを作成したのとは異なる外部のデータを検証として使用します。今回はデモデータが 1 つしか存在しないため、内部検証のみを実施することとし、データを 7:3 の割合で 2 つに分割し、前者でモデル作成、後者で内部検証を行いました。

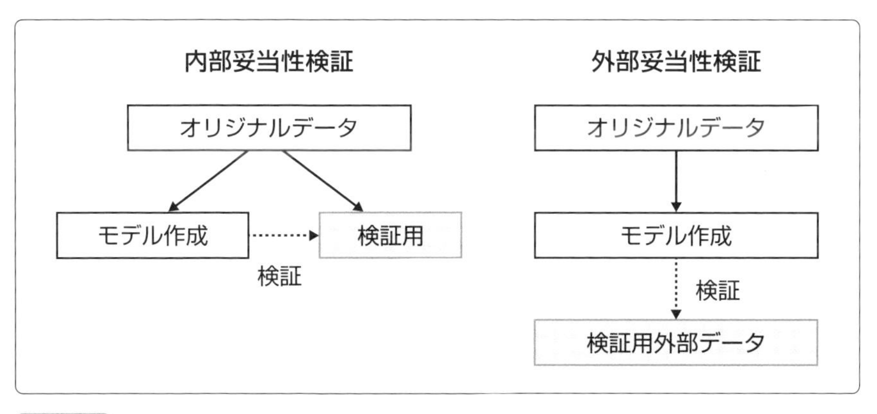


図16-1　内部妥当性検証と外部妥当性検証

### ⑥提示法の決定

予後予測モデルが完成したら、臨床ツールとして提供する方法を検討します。提供方法は、主に web 計算ツールの提供、ノモグラム、整数スコアの 3 種類が存在します。ここでは、これら 3 種のうち、最も簡便に提供し利用しやすい整数スコアの作成方法を示します。

## スコア化

整数スコア作成の際には、まず予測モデルの係数を確認します。

```
# 結果の確認
coef(model)
(Intercept)          Age          Sex           HT           DM
Stroke
-12.60569886   0.09453647   1.39328260   1.05806389   0.92186590
1.01946784
         MI
  0.59111644
```

係数を整数化するにあたり、小数の係数を任意の整数倍し、四捨五入します。ここでは、簡便のため係数を10倍して整数に変換します。ここでの注意は係数そのものに整数をかける点です。誤ってオッズ比を整数倍しないようにしましょう。

少し複雑なスクリプトを書くので、その準備として係数を取り出し10倍し四捨五入、さらにその値（スコア）で個人に何点与えられるか確認してみましょう。

```
# 変数ごとの係数の取り出し例
coef(model)["Sex"]
Sex
1.393283
# 係数を 10 倍
10*coef(model)["Sex"]
Sex
13.93283
# 係数の 10 倍を四捨五入
round(10*coef(model)["Sex"])
Sex
14
# 個人の持つスコアを計算
round(10*coef(model)["Sex"])*test_data$Sex
```

```
[1] 28 14 14 28 14 14 14 28 14 14 28 14 28 28 28 14 14 28 14
28 14 28 14 14 14
[26] 28 14 14 28 28 28 14 28 28 14 14 14 14 14 28 28 14 28 14
28 14 14 28 14 28
[51] 28 14 14 14 28 28 28 28 14 28 28 28 14 14 28 14 28 28 28
28 28 28 28 28 14
[76] 14 14 28 14 28 14 28 28 28 14 14 14 28 28 14 14 14 28 14
28 28 14 28 28 28
```

結果から、女性には 28 点、男性には 14 点が与えられていることがわかります。

各変数の得点を足し合わせて、test_data に score という変数を作成します。

```
# 係数を基にして整数スコアを計算
test_data <- test_data %>%
  mutate(score =
           round(10*coef(model)["Age"])*Age +
           round(10*coef(model)["Sex"])*Sex +
           round(10*coef(model)["HT"])*HT +
           round(10*coef(model)["DM"])*DM +
           round(10*coef(model)["Stroke"])*Stroke +
           round(10*coef(model)["MI"])*MI)
```

これで予測スコアの作成は完了です。

次に得られた予測スコアごとに予測されるリスクを示します。スコアの点数を 4 つに分割する分位点の値を取得します。

```
# カットポイントを計算
quantiles <- quantile(test_data$score,
  probs = c(0, 0.25, 0.5, 0.75, 1), na.rm = TRUE)
quantiles
```

```
0%   25%  50%  75% 100%
68   104  114  125  155
```

分位点のスコアが表示され、第一四分位点までのスコアは 73 − 107 点であることがわかります。

得られた分位点をもとに対象者を 4 グループに分け、スコア範囲ごとにリスクを提示します。

```
# quantiles で定義された範囲ごとにグループ化するラベルを付与
bins <- cut(test_data$score,
            breaks = quantiles,
            labels = c("Q1","Q2","Q3","Q4"),
            include.lowest = TRUE)

# スコア範囲ごとのリスクを計算
risk_by_bin <- test_data %>%
  group_by(bin = bins) %>%
  summarise(total = n(),
            events = sum(Death),
            risk = mean(Death))
risk_by_bin
```

```
# A tibble: 4 × 4
  bin   total events   risk
  <fct> <int>  <dbl>  <dbl>
1 Q1      239     10 0.0418
2 Q2      217     20 0.0922
3 Q3      227     54 0.238
4 Q4      217    122 0.562
```

```
# バープロットで表示
ggplot(risk_by_bin, aes(x = bin, y = risk)) +
  geom_bar(stat = "identity") +
  labs(title = "Risk by Score Range", x = "Score Range",
       y = "Risk")
```

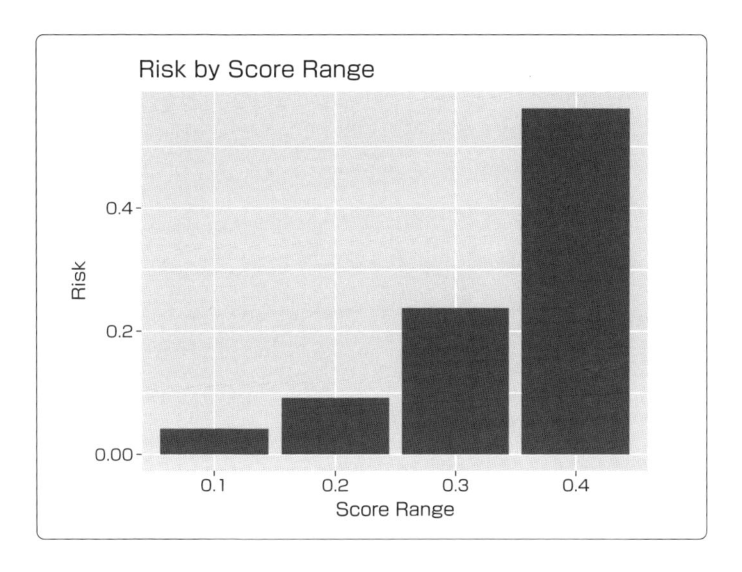


参考文献
1）Collins GS, Reitsma JB, Altman DG, et al. Transparent reporting of a multivariable prediction model for individual prognosis or diagnosis (TRIPOD): The TRIPOD statement. BMJ. 2015; 350: g7594.
2）Iwagami M, Matsui H. Introduction to Clinical Prediction Models. Ann Clin Epidemiol. 2022; 4: 72-80.
3）E.W. Steyerberg（著）/ 手良向聡，大門貴志（監訳）. 臨床予測モデル：開発・妥当性確認・更新の手引き. 朝倉書店：2023.

# 第17章 傾向スコア分析

ポイント

- 傾向スコア分析は1．傾向スコアの推定、2．傾向スコアの利用（重み付け・マッチング）、3．バランスの確認、4．効果の推定の順に行う
- 重み付けは `weightit()`、マッチングは `matchit()` を使用する

本章で必要なパッケージ

- tidyverse
- pROC
- WeightIt
- cobalt
- tableone
- survey
- MatchIt

：「教授から“学会発表した研究を論文にする前に傾向スコア分析をやってみてよ”って言われちゃったよ。何していいのかさっぱりわからなくて途方にくれていたら `weightit()` とか `matchit()` を使うと簡単にできるって教えてもらったのでやってみるか。」

## 1 傾向スコアとは

ランダム化されていない観察研究の場合、治療を受けるかどうかは患者背景や重症度に左右されることがあります。結果として、治療を受けたグループと受けていないグループではこれらの要因で大きな違いが生じる可能性があります。傾向スコアとは治療を受ける確率を背景要因から予測したものです。治療を受ける確率、つまり治療の受けやすさをグループ間でそろえることにより、重症度や併存症などの影響を取り除いて治療効果を評価することができます。本章では傾向スコアを使った方法のうち、重み付け、マッチングについて取り上げます。重み付けは `WeightIt` パッケージを、マッチングは `MatchIt` パッ

ケージを使用します。傾向スコア分析は以下のステップで行います（図17-1）。

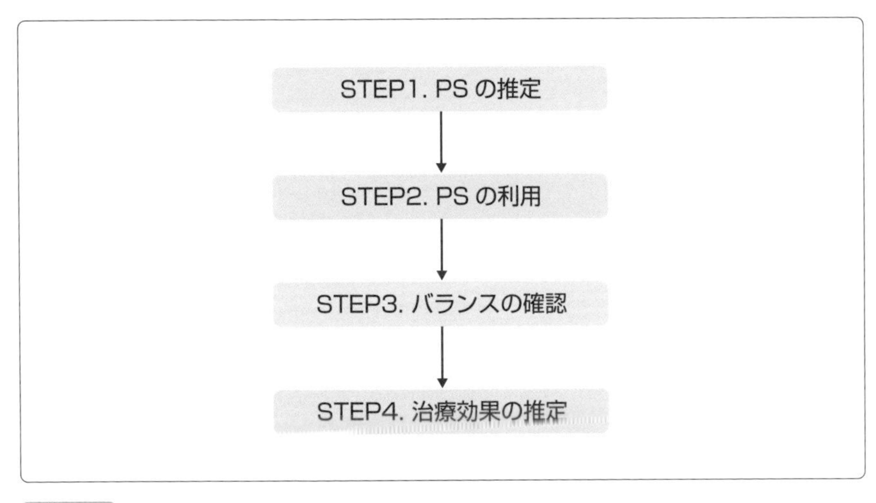


図17-1　傾向スコア分析の手順
傾向スコアは基本的に以下の３つのステップで利用します。まず、傾向スコアを推定し、次いで傾向スコアを利用してマッチングや重み付け、層別化などを行います。そして最後に治療効果を推定します。

## 2 傾向スコア重み付け

本章ではサンプルデータ "R_book_data_pp.csv" を使用します。これは、架空のある疾患の患者の入院データです。治療の割付は TreatmentX（2 値変数）、アウトカムは `Death`（死亡 , 2 値変数）、`ADL_disc`（退院時 ADL, 連続変数）であり、治療によって死亡、退院時 ADL が改善するかどうかを検討していきます。

### Step 1．傾向スコアの推定

`WeightIt` パッケージを利用し、傾向スコア（治療を受ける確率）を推定します。`WeightIt` パッケージでは傾向スコアの推定に `glm()` をはじめとしてさまざまな方法が利用できます。Step3 でバランスが取れなかった場合、２乗項、３乗項、交互作用項などをモデルに追加します。バランスが取れるまで繰り返します。

### Step 2．重み付け

Inverse Probability of Treatment Weighting（IPTW）は傾向スコアの逆数で重み付けを行います。治療を受けたグループの患者は傾向スコアの逆数で、治療を受けなかったグループの患者は（１－傾向スコア）の逆数で重み付けを行います。IPTW は傾向スコアの値が 0 または 1 に近い個人の重みが極端に大きくなるという欠点があります。その場合、サンプル数がもとの集団と同程度になるような重み付け（stabilized weight）を用いることで対処する方法があります。また、Overlap Weighting は近年提案された方法です。治療を受けたグループの患者は（１－傾向スコア）で、治療を受けなかったグループの患者は傾向スコアで重み付けを行います。Overlap Weighting は傾向スコアの値が 0 または 1 に近い個人の影響を最小限にし、傾向スコアが 0.5 の個人の寄与が相対的に大きくなります。これによって臨床的に同等な患者を比較することを重視した、無作為化試験の特徴を模倣しています。

### Step 3．バランスの確認

重み付けした後にグループ間の要因のバランスがとれていることを、標準化差（standardized mean difference: SMD）によって確認します。グループ間のバランスを p 値で確認すると、サンプル数が大きい場合に有意になりやすいという問題が生じます。一方 SMD はサンプル数に依存しないため、背景のバランスの確認にはこの SMD を用いることが一般的です。また、傾向スコアの分布をヒストグラム等で確認します。このステップでバランスが取れていない場合、Step1 の傾向スコアの推定に戻ってやり直します。

### Step 4．治療効果の推定

治療効果の推定は重み付けした回帰分析を行います。`survey` パッケージの `svyglm()` を利用します。

```
# 傾向スコア分析用サンプルデータの読み込み
df_ps <- read_csv("R_book_data_pp.csv")
Rows: 3000 Columns: 11
── Column specification ──────────────────────────────
──────────────────────────────────────────────────────

Delimiter: ","
dbl (11): Age, Sex, HT, DM, Stroke, MI, TreatmentX, Death, pr,
PS, ADL_disc
# データ一覧の確認
df_ps %>%
  glimpse()
Rows: 3,000
 Columns: 11
 $ Age        <dbl> 75, 73, 61, 69, 78, 79,…
 $ Sex        <dbl> 1, 2, 1, 1, 1, 1, 2, 2,…
 $ HT         <dbl> 1, 0, 1, 0, 1, 1, 1, 0,…
 $ DM         <dbl> 1, 0, 1, 0, 0, 1, 0, 1,…
 $ Stroke     <dbl> 1, 0, 0, 1, 1, 0, 1, 1,…
 $ MI         <dbl> 0, 0, 1, 0, 0, 1, 0, 1,…
 $ TreatmentX <dbl> 1, 0, 0, 0, 1, 1, 1, 1,…
 $ Death      <dbl> 0, 0, 0, 0, 0, 0, 0, 0,…
 $ pr         <dbl> -1.191009093, -3.030068386,…
 $ PS         <dbl> 1.7977201, -0.6159389, 0.6269391,…
 $ ADL_disc   <dbl> 50, 45, 40, 30, 45, 40,…
```

Step1～2. 傾向スコアの推定および利用（重み付け）は`weightit()`を使用します。

```
weightit(formula, data, estimand, stabilize)
```

| | |
|---|---|
| formula | 「治療 ~ 説明変数１＋説明変数２＋,…」と指定します |
| data | 使用するデータフレーム名を指定します |
| estimand | "ATE"：IPTW<br>"ATO"：Overlap Weighting |
| stabilize | estimandに"ATE"を指定した場合、TRUEを指定することで安定化したweightを計算<br>estimandに"ATO"を指定した場合この引数は不要 |

Step1～2

まず傾向スコアである`TreatmentX`（治療）を受ける確率を`Age`（年齢）、`Sex`（性別）、`HT`（高血圧）、`DM`（糖尿病）、`Stroke`（脳卒中）、`MI`（心筋梗塞）で予測し、傾向スコアと傾向スコアから算出された重みを`w.out`というオブジェクトに格納します。続いてROC曲線を描画します。

```
# Step 1-2
# 'WeightIt' を使用
# PS を推定するために、Age, Sex, HT, DM, Stroke, MI を用いる
# stabilized ATE の場合引数に stabilize = TRUE を追加
library(WeightIt)
w.out <- weightit(TreatmentX ~ Age + Sex + HT + DM + Stroke + MI,
                  data = df_ps,
                  estimand = "ATE",
                  stabilize = FALSE)

# Propensity_Score, weight_ATE を df_ps に追加
df_ps <- df_ps %>%
  mutate(Propensity_Score = w.out$ps,
         weight_ATE = w.out$weights)
```

```
# c-statistics の計算と ROC 曲線の描画
ROC1 <-roc(TreatmentX ~ Propensity_Score, data = df_ps,
           ci = TRUE)
ROC1
Call:
roc.formula(formula = TreatmentX ~ Propensity_Score,
            data = df_ps, ci = TRUE)

Data: Propensity_Score in 882 controls (TreatmentX 0) < 2118
cases (TreatmentX 1).
Area under the curve: 0.8344
95% CI: 0.8188-0.8499 (DeLong)
ROC_g <- ggroc(ROC1, legacy.axes = TRUE) +
  geom_abline(color = "dark grey", size = 0.5) +
  labs(title = "ROC curve", x = "1-Specificity", y = "Sensitivity")
ROC_g
```

1) 2)

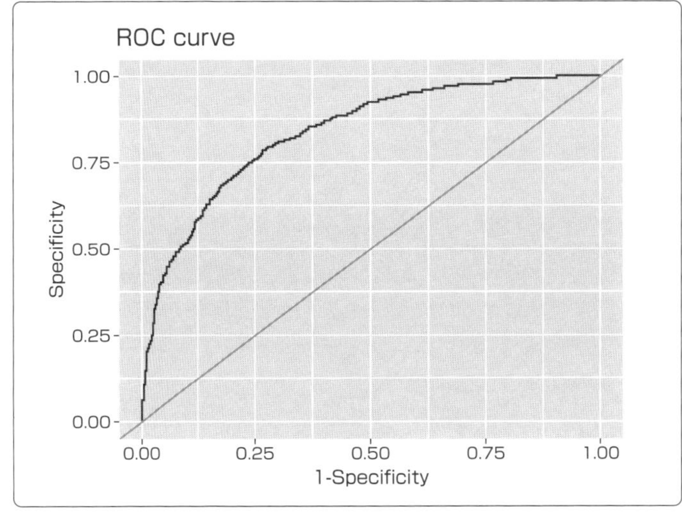


1）実行したモデルの式が表示されます。

2）AUC とその 95% 信頼区間が表示されます。AUC が 0.8344、95% 信頼区間が 0.8188-0.8499 であることがわかりました。

Step3

　バランスの確認を行います cobalt パッケージの bal.plot() で傾向スコアの分布を、bal.tab() でバランスの確認を行います。バランスは標準化差（standardized mean difference）によって評価します。標準化差の絶対値が 0.1 未満であればバランスが取れていると判断します。love.plot() でバランスの確認を視覚的に行うことも可能です。また、survey パッケージ、tableone パッケージを用いて重み付け前後のテーブルを作成します。

```
bal.plot(weightit オブジェクト , type, which, mirror)
```

| | |
|---|---|
| weightit オブジェクト | weightit() で作成したオブジェクト |
| type | "histogram"：ヒストグラム<br>"density"：密度曲線 |
| which | "both"：重み付け前後<br>"unadjusted"：調整前<br>"adjusted"：調整後 |
| mirror | TRUE：鏡像にする<br>FALSE：重ねる |

```
bal.tab(weightit オブジェクト , stats, thresholds, un, binary)
```

| | |
|---|---|
| weightit オブジェクト | weightit() で作成したオブジェクト |
| stats | c("m","m")：カテゴリー変数、連続変数ともに標準化差を表示 |
| thresholds | バランスが取れているかどうかを判断する標準化差の閾値<br>通常 0.1 を指定 |
| un | TRUE：調整前後を表示<br>FALSE：調整後のみ表示 |
| binary | "std"：カテゴリー変数の標準化差を表示 |

```
love.plot(bal.tab オブジェクト , grid, abs, drop.distance)
```

| | |
|---|---|
| bal.tab<br>オブジェクト | bal.tab() で作成したオブジェクト |
| stats | "mean.diffs"：平均の差を plot する |
| grid | TRUE：grid 線を表示する<br>FALSE：grid 線を表示しない |
| abs | TRUE：絶対値で表示する<br>FALSE：絶対値で表示しない |
| drop.distance | TRUE：傾向スコアの差を表示しない<br>FALSE：傾向スコアの差を表示する<br>通常は不要なので TRUE を指定する |

```
# 傾向スコアの分布確認
library(cobalt)
bal.plot(w.out, type = "histogram", which = "both",
        mirror = TRUE)
```

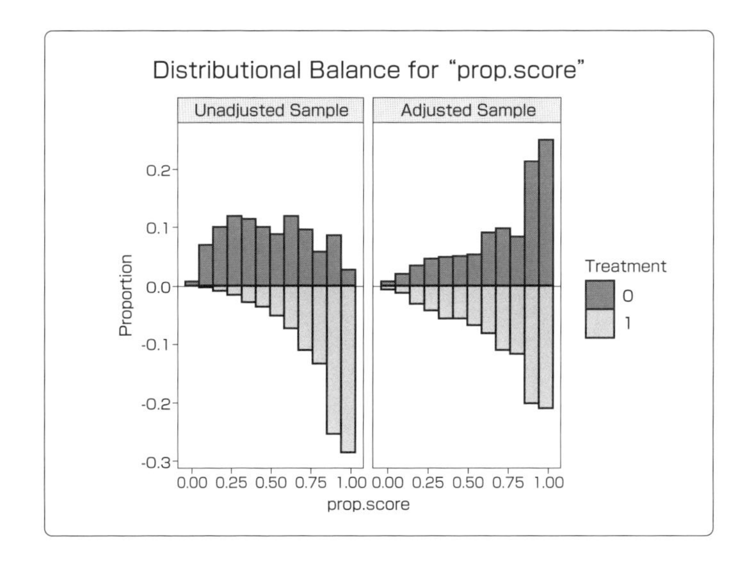


重み付け前後での傾向スコアの分布が治療群ごとに示されました。

```
# バランスの確認
weight_tbl <- bal.tab(w.out, stats = c("m", "m"), thresholds = 0.1,
       un = TRUE, continuous = "std", binary = "std")
weight_tbl
 Balance Measures
                Type Diff.Un Diff.Adj 1)   M.Threshold
prop.score Distance  1.3858  -0.0442 Balanced, <0.1
Age          Contin.  0.7418  -0.0739 Balanced, <0.1
Sex_2         Binary  0.4118  -0.0499 Balanced, <0.1
HT            Binary  0.4446  -0.0217 Balanced, <0.1
DM            Binary  0.4039  -0.0316 Balanced, <0.1
Stroke        Binary  0.3783   0.0211 Balanced, <0.1
MI            Binary  0.4485  -0.0016 Balanced, <0.1

Balance tally for mean differences
                   count
Balanced, <0.1         7
Not Balanced, >0.1     0

Variable with the greatest mean difference
 Variable Diff.Adj    M.Threshold
      Age  -0.0739 Balanced, <0.1

Effective sample sizes
           Control Treated
Unadjusted   882.  2118.
Adjusted     196.2 1466.64
```

1）重み付け前後の標準化差が表示されます。Diff.Un は重み付け前、Diff.Adj は重み付け後の標準化差です。Table に記載する標準化差はこの値を使用します。

```
# バランスの可視化
love.plot(weight_tbl,
```

```
        stats = "mean.diffs",
        grid = TRUE,
        abs = TRUE,
        drop.distance = TRUE)
```

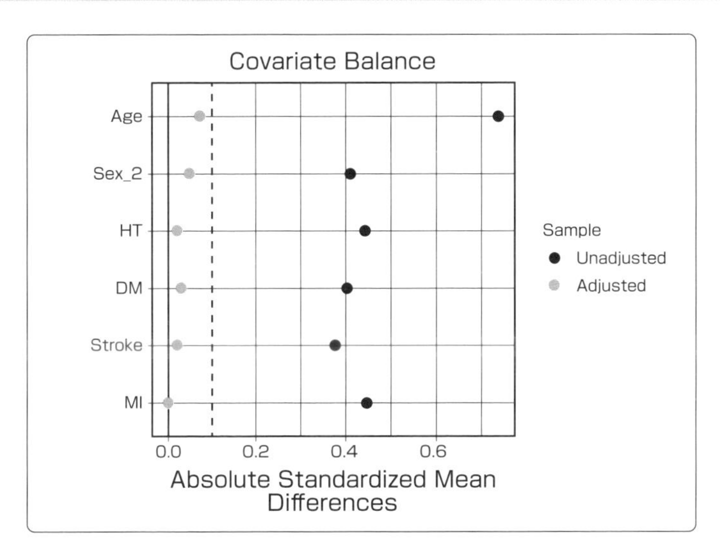


bal.tab() の結果を love.plot() に渡すことで重み付け前後の標準化差がひと目でわかる美しい図が描画できます。

Survey パッケージの svydesign() を使用して重み付けデータの作成を行います。 重み付け前の Table 1 作成には tableone パッケージの CreateTableOne() を、重み付け後の Table 1 の作成は svyCreateTableOne() を利用します。svyCreateTableOne() では svydesign() で作成した重み付けデータを使用します。

```
svydesign(ids = ~ 1, data = df_ps, weights = ~ weights)
```

| | |
|---|---|
| ids | ~ 1 ：各観測値が独立である |
| data | 重み付け前のデータを指定 |
| weights | ~ 重み付け変数：~ に続いて重み付け変数を指定 |

```
# Table 1の作成
#crude dataのバランスの確認 (tableone)

vars <- c("Age", "Sex", "HT", "DM", "Stroke", "MI")
fvars <- c("Sex", "HT", "DM", "Stroke", "MI")

tableone_crude <- CreateTableOne(vars=vars, strata = "TreatmentX",
                                data = df_ps,
                                factorVars = fvars)

print(tableone_crude, test = FALSE)
```

```
                   Stratified by TreatmentX
                    0             1
 n                    882          2118
 Age (mean (SD)) 70.04 (9.35)  77.07 (9.60)
 Sex = 2 (%)          317 (35.9)   1187 (56.0)
 HT = 1 (%)           301 (34.1)   1180 (55.7)
 DM = 1 (%)           301 (34.1)   1139 (53.8)
 Stroke = 1 (%)       321 (36.4)   1163 (54.9)
 MI = 1 (%)           305 (34.6)   1194 (56.4)
```
1)

```
# 重み付け後のバランスの確認 (svydesign)
# 重み付けdata作成
library(survey)
ps_weighted <- svydesign(ids = ~ 1, data = df_ps,
                         weights = ~ weight_ATE)

# 重み付け後のバランス確認 (tableone)
tableone_weighted <- svyCreateTableOne(vars = vars,
                        strata = "TreatmentX", data = ps_weighted,
                        factorVars = fvars)

print(tableone_weighted, test = FALSE)
```

```
                    Stratified by TreatmentX
                     0                    1
n                    3138.81              2986.73
Age (mean (SD))        75.78 (10.15)        75.08 (10.08)
Sex = 2 (%)           1654.1 (52.7)        1501.1 (50.3)
HT = 1 (%)            1582.8 (50.4)        1474.7 (49.4)
DM = 1 (%)            1564.8 (49.9)        1443.0 (48.3)
Stroke = 1 (%)        1511.2 (48.1)        1468.8 (49.2)
MI = 1 (%)            1569.6 (50.0)        1491.2 (49.9)
```
2)

1) 重み付け前の背景の比較です。bal.tab() で得られた Diff.Un が標準化差に相当します。

2) 重み付け後の背景の比較です。bal.tab() で得られた Diff.Adj が標準化差に相当します。

Step4.

治療効果を推定します。重み付け前の治療効果は glm() を、重み付け後の治療効果の推定は svyglm() を使用します。

```
# Step 4
# weighting 後 2 群間のバランスが取れるまでここから先は行わない
# 治療効果の推定
# 重み付け前の治療効果
# 死亡に対する治療効果
crude_model1 <- glm(Death ~ TreatmentX,
  family=binomial(link = "logit"), data = df_ps)
crude_model1 %>%
  coef() %>%
  exp()
```

```
(Intercept)  TreatmentX
  0.1322208   2.8861171
```
1)

```
crude_model1 %>%
  confint() %>%
  exp()
```

傾向スコア分析

```
                2.5 %    97.5 %
(Intercept) 0.1070567 0.1615437
TreatmentX  2.3106769 3.6362383
```
2)

```
# 退院時 ADL に対する治療効果
crude_model2 <- glm(ADL_disc ~ TreatmentX,
family = gaussian(link = "identity"), data = df_ps)
summary(crude_model2)
crude_model2 %>% coef()
```

```
(Intercept)  TreatmentX
  37.018141    4.860991
```
3)

```
crude_model2 %>%
  confint()
```

```
                 2.5 %    97.5 %
(Intercept) 36.61806 37.418221
TreatmentX   4.38484  5.337142
```
4)

1), 2) 死亡に対する重み付け前の治療効果です。TreatmentX による死亡のオッズは 2.89 であり、その 95% 信頼区間は 2.31 ～ 3.64 です。

3), 4) 退院時 ADL に対する重み付け前の治療効果です。TreatmentX によって退院時 ADL が 4.9 ポイント上昇し、その 95% 信頼区間は 4.4 ～ 5.3 ポイントの上昇です。

続いて重み付け後の治療効果の推定を行います。

```
# 重み付け後の治療効果の推定
# 重み付けデータの作成
library(survey)
ps_weighted <- svydesign(ids = ~ 1,
  data = df_ps, weights = ~ weight_ATE)
#svyglm で robust 分散が推定される


# 死亡に対する治療効果
iptw_model1 <- svyglm(Death ~ TreatmentX,
  design = ps_weighted, family = binomial(link = "logit"))
```

```
Warning in eval(family$initialize): non-integer #successes in
a binomial glm!
```
[1]

```
iptw_model1 %>%
  coef() %>%
  exp()
```

```
(Intercept)  TreatmentX
  0.4187834   0.6697587
```
[2]

```
iptw_model1 %>%
  confint() %>%
  exp()
```

```
                 2.5 %      97.5 %
(Intercept) 0.2932853 0.5979828
TreatmentX  0.4622788 0.9703596
```
[3]

```
# 退院時 ADL に対する治療効果
iptw_model2 <- svyglm(ADL_disc ~ TreatmentX,
  design = ps_weighted, family = gaussian(link = "identity"))
iptw_model2 %>%
  coef()
```

```
(Intercept)  TreatmentX
  37.029219    4.803284
```
[4]

```
iptw_model2 %>%
  confint()
```

```
                2.5 %    97.5 %
(Intercept) 36.318478 37.739960
TreatmentX   3.988326  5.618241
```
[5]

1) 重み付けによってアウトカムが整数ではないという警告が出ますが、結果に影響はありません。family = binomial の代わりに quasibinomial とすることで警告を回避できます。

2), 3) 死亡に対する重み付け後の治療効果です。TreatmentX による死亡のオッズ比は 0.67 であり、その 95% 信頼区間は 0.46 ～ 0.97 という結果が得られました。

4), 5) 退院時 ADL に対する重み付け後の治療効果です。TreatmentX によって退院時 ADL が 4.8 ポイント上昇し、その 95% 信頼区間は 4.0 ～ 5.6 ポイントの上昇でした。

## 3 傾向スコアマッチング

傾向スコア分析（マッチング）は以下のステップで行います。

**Step 1.**

傾向スコアの推定 重み付けと同様です

**Step 2.**

マッチングランダムに治療を受けた患者を選び、治療を受けなかった患者とマッチさせます。治療を受けた患者と傾向スコアの最も近い治療を受けていない患者をマッチングする最近傍法が主に用いられます。傾向スコアの値が大きく異なるペアを作らないように、傾向スコアの差が一定の値を超える場合はマッチングしないように閾値を設定することが多くなっています。最終的にマッチングされなかった患者は解析から除外されます。

一度マッチングした対照群の患者をその後もマッチング対象とする方法（with replacement）と一度選択された対照群の患者は除外する方法（without replacement）があります。治療群よりも対照群が非常に多い場合、一人の治療を受けた患者に対して複数の対照群をマッチングさせることも可能です。複数の対象患者をマッチングさせることで解析対象が増え、検出力が上がるという利点があります。

**Step 3.**

バランスの確認 重み付けと同様です。ここでバランスが取れていない場合、Step1 の傾向スコアの推定に戻ってやり直します。

**Step 4.**

治療効果の推定 治療効果は `glm()` によって推定します。

### Step1 ～ 2

傾向スコアの推定および利用（マッチング）は `matchit()` を使用します。傾向スコアマッチングでは治療群の選択をランダムに行います。`set.seed()` を使用して乱数を指定し、同じ順序で選択されるようにしておくことで結果の再現性が保たれます。これを行わないとスクリプトを実行するたびに異なる結果となってしまいます。

```
set.seed( 整数 )
```

整数　整数を指定することで毎回同じ疑似乱数が発生する

```
matchit(formula, data, method, distance, exact,
        replace, m.order, caliper, ratio)
```

| | |
|---|---|
| formula | 「治療 ~ 交絡因子 1 + 交絡因子 2 + 交絡因子 3…」と指定 |
| data | 使用するデータフレーム |
| method | "nearest": 最近傍法<br>"optimal" : 最適マッチング |
| exact | 指定された変数が一致した場合にのみマッチする<br>必要な場合 exact = c("HT", "DM") のように指定する |
| replace | TRUE : 一度選択された対照群も含めてマッチング対象にする<br>FALSE : 一度選択された対照群の患者はマッチング対象から除外 |
| m.order | "random": 治療群の選択順序をランダムに行う<br>指定なし : 傾向スコアの大きいものから順に選択する |
| caliper | マッチングの際の傾向スコアの差の閾値 |
| ratio | 1 人の治療群に対して何人の対照群を選択するか<br>4 を指定した場合、治療群 1 人に対して対照群 4 人をマッチング |

```
# Step 1-2
# 必ず set.seed() を行う。指定する整数は任意の値で構わない
library(MatchIt)
set.seed(111)
m.out <- matchit(TreatmentX ~ Age + Sex + HT + DM + Stroke + MI,
                 data = df_ps,
                 method = "nearest",
                 replace = FALSE,
                 m.order = "random",
                 caliper = 0.2,
                 ratio = 1)

# Propensity_Score を df_ps に追加
df_ps <- df_ps %>%
```
[1)]

```
  mutate(Propensity_Score = m.out$distance)

# Propensity score matching を行ったデータの作成
df_psm <- match.data(m.out) 2)
```

1） バランスが取れていない場合連続変数の２乗項、３乗項や変数同士の掛け算を追加してバランスが取れるまで何度でも傾向スコアを作り直します。どうしてもバランスの取れない変数を exact matching するなどバランスを取ることを最優先します。例えば以下のように Age の２乗項、３乗項を加える、exact = ～ Sex として性別が一致したペアのみにするなどを行います。

```
matchit(TreatmentX ~ Age + Age^2 + Age^3 + Sex + HT + DM + Stroke + MI,
        data = df_ps, method = "nearest", ratio = 1, replace = FALSE,
        caliper = 0.2, exact = ~ Sex)
```

2） マッチング後のデータを df_psm というオブジェクトに格納します。

C 統計量の計算と ROC 曲線の描画を重み付けと同様に行います。

```
# c-statistics の計算と ROC 曲線の描画
ROC1 <-roc(TreatmentX ~ Propensity_Score, data = df_ps, ci = TRUE)
ROC1
  Call:
 roc.formula(formula = TreatmentX ~ Propensity_Score, data =
df_ps,     ci = TRUE)

 Data: Propensity_Score in 9653 controls (TreatmentX 0) < 5347
cases (TreatmentX 1).
 Area under the curve: 0.8344
 95% CI: 0.8188-0.8499 (DeLong) 1)
ROC_g <- ggroc(ROC1, legacy.axes = TRUE) +
  geom_abline(color = "dark grey", size = 0.5) +
  labs(title = "ROC curve", x = "1-Specificity", y = "Sensitivity")
```

```
ROC_g
```

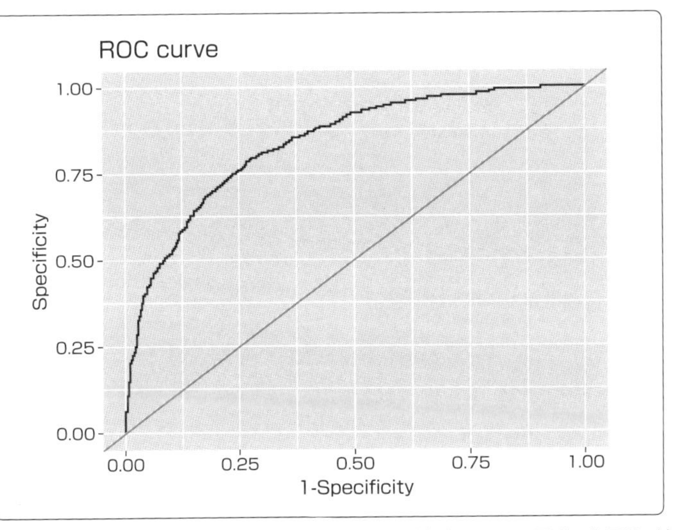


1）重み付け同様に傾向スコアを glm() 関数で推定しているため同じ値です。

Step3

バランスの確認を行います。`cobalt` パッケージの `bal.plot()` で傾向スコアの分布を、`bal.tab()` でバランスの確認を行います。また、`tableone` パッケージを用いてマッチング前後のテーブルを作成します。`bal.plot()` はオプションでさまざまなグラフを出力することができます。ここでは、先ほどの重み付けとは違うオプションを指定してグラフを作成してみます。

```
# step 3
# 傾向スコアの分布確認
bal.plot(m.out, type = "density", which = "both",
        mirror = FALSE,
        sample.names = c("Unmatched", "Matched"))
```

```
No 'var.name' was provided. Displaying balance for distance.
```

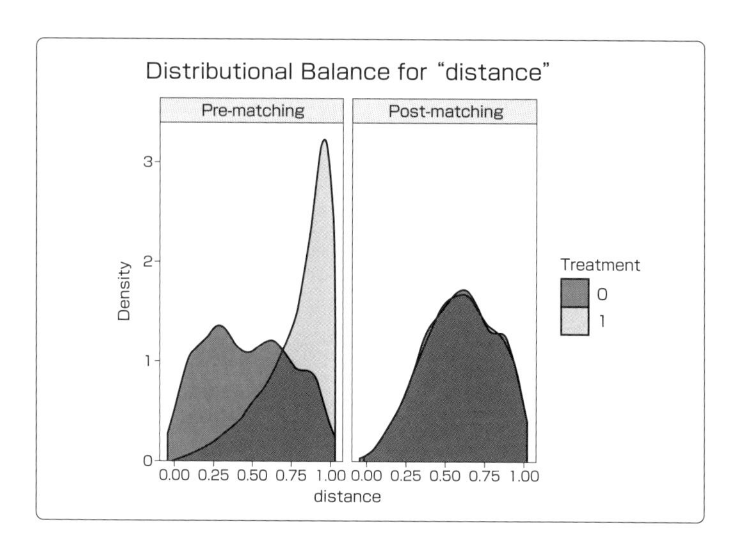


マッチング前後での傾向スコアの分布が治療群ごとに示されました。

```
# バランスの確認
match_tbl <- bal.tab(m.out, thresholds = 0.1, un = TRUE, binary = "std")
match_tbl
```

```
 Balance Measures
                Type Diff.Un Diff.Adj     M.Threshold
distance Distance  1.6342   0.0232 Balanced, <0.1
Age        Contin.  0.7321   0.0512 Balanced, <0.1
Sex_2       Binary  0.4050   0.0098 Balanced, <0.1
HT          Binary  0.4346  -0.0130 Balanced, <0.1
DM          Binary  0.3941   0.0097 Balanced, <0.1
Stroke      Binary  0.3721   0.0325 Balanced, <0.1
MI          Binary  0.4395  -0.0489 Balanced, <0.1

Balance tally for mean differences
                   count
Balanced, <0.1         7
Not Balanced, >0.1     0
```

[1)]

```
Variable with the greatest mean difference
 Variable Diff.Adj    M.Threshold
      Age   0.0512 Balanced, <0.1

Sample sizes
          Control Treated
All           882    2118
Matched       619     619
Unmatched     263    1499
```

1）マッチング前後の標準化差が表示されます。Diff.Un はマッチング前、Diff.Adj はマッチング後の標準化差です。Table に記載する標準化差はこの値を使用します。

```
# バランスの可視化
love.plot(match_tbl,
          stats = "mean.diffs",
          grid = TRUE,
          abs = TRUE,
          drop.distance = TRUE)
```

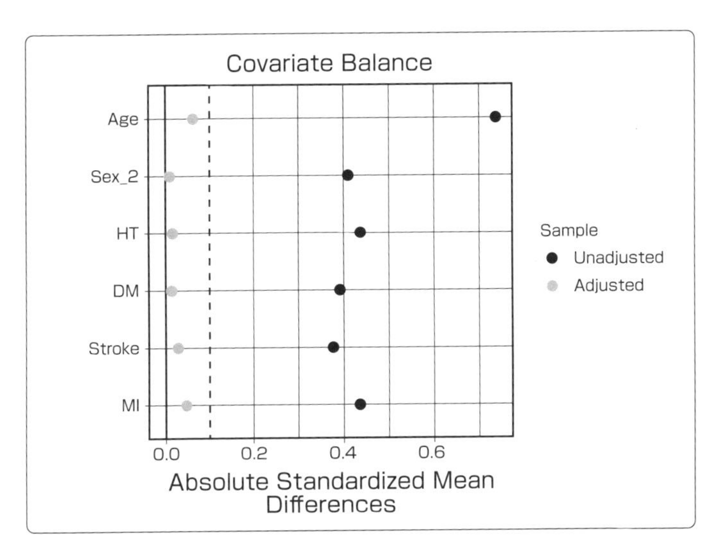

bal.tab() で作成したオブジェクトを love.plot() に渡すことでマッチング前後の標準化差がひと目でわかる美しい図が描画できます。

マッチング前後の Table 1 作成には tableone パッケージの CreateTableOne() を使用します。

```
# Table 1 の作成
#crude data のバランスの確認 (tableone)

vars <- c("Age", "Sex", "HT", "DM", "Stroke", "MI")
fvars < -c("Sex", "HT", "DM", "Stroke", "MI")

tableone_crude <- CreateTableOne(vars = vars, strata = "TreatmentX",
  data = df_ps, factorVars = fvars)
print(tableone_crude, test = FALSE)
```

```
                   Stratified by TreatmentX
                    0             1
  n                   882          2118
  Age (mean (SD)) 70.04 (9.35)  77.07 (9.60)
  Sex = 2 (%)         317 (35.9)   1187 (56.0)
  HT = 1 (%)          301 (34.1)   1180 (55.7)
  DM = 1 (%)          301 (34.1)   1139 (53.8)
  Stroke = 1 (%)      321 (36.4)   1163 (54.9)
  MI = 1 (%)          305 (34.6)   1194 (56.4)
```

1)

```
# Matching 後のバランスの確認
tableone_matched <- CreateTableOne(vars = vars, strata = "TreatmentX",
  data = df_psm, factorVars = fvars)
print(tableone_matched, test = FALSE)
```

```
                   Stratified by TreatmentX
                    0             1
  n                   619           619
  Age (mean (SD)) 72.23 (8.98)  72.72 (9.52)
  Sex = 2 (%)         262 (42.3)    265 (42.8)
```

2)

```
   HT = 1 (%)          245 (39.6)    241 (38.9)
   DM = 1 (%)          255 (41.2)    258 (41.7)
   Stroke = 1 (%)      251 (40.5)    261 (42.2)
   MI = 1 (%)          260 (42.0)    245 (39.6)
```
2)

1) マッチング前の背景の比較です。**bal.tab()** で得られた Diff.Un が標準化差に相当します。
2) マッチング後の背景の比較です。**bal.tab()** で得られた Diff.Adj が標準化差に相当します。

### Step 4

マッチング後のバランスが取れていることを確認したら治療効果を推定します。

```
# Step 4
# マッチング後 2 群間のバランスが取れるまでここから先は行わない
# マッチング後の治療効果の推定 ( マッチング前の治療効果の推定は重み付け前参照 )
psm_model1 <- glm(Death ~ TreatmentX,
  family = binomial(link = "logit"), data = df_psm)
psm_model1 %>%
  coef() %>%
  exp()
```

```
 (Intercept)  TreatmentX
   0.1926782   0.5880755
```
1)

```
psm_model1 %>%
  confint() %>%
  exp()
```

```
                 2.5 %     97.5 %
 (Intercept) 0.1547107 0.2374895
 TreatmentX  0.4181289 0.8216328
```
2)

```
psm_model2 <- glm(ADL_disc ~ TreatmentX,
  family = gaussian(link = "identity"), data = df_psm)
psm_model2 %>%
  coef()
```

```
 (Intercept)  TreatmentX
   37.180937    4.870759
```
3)

```
psm_model2 %>%
  confint()
```

```
                 2.5 %    97.5 %
 (Intercept) 36.725562 37.636312
 TreatmentX   4.226762  5.514756
```
4)

1)，2) 死亡に対する治療効果です。TreatmentX による死亡のオッズは 0.59 であり、その 95% 信頼区間は 0.42 ～ 0.82 という結果が得られました。

3)，4) 退院時 ADL に対する治療効果です。TreatmentX によって退院時 ADL が 4.9 ポイント上昇し、その 95% 信頼区間は 4.2 ～ 5.5 の上昇でした。

参考文献


1) Haiyan Bai, M. H. Clark（著）/ 大久保将貴，黒川博文（訳）. 傾向スコア（計量分析 One Point）. 共立出版 : 2023.
2) 高橋将宜，他. 統計的因果推論の理論と実装（Wonderful R）. 共立出版 : 2022.
3) Hashimoto Y, Yasunaga H. Theory and practice of propensity score analysis. Ann Clin Epidemiol. 2022; 4: 101-109.
4) Austin PC. An Introduction to Propensity Score Methods for Reducing the Effects of Confounding in Observational Studies. Multivariate Behav Res. 2011; 46: 399-424.

# おわりに

Rで解析したAくんは、なんと学会でポスター賞を受賞しました。

:「Aくん、ポスター賞おめでとう！　次は論文だね！」

:「はい、頑張ります！」

Aくんは学会で発表したテーマ「疾患Zに対する新しい治療法と死亡率の関連」について論文執筆を行いました。図や表は今までPowerPointやExcelを駆使していましたが、Rのグラフは綺麗なためそのまま使うことができました。またtableoneパッケージのおかげで、表1も手間がかからずに完成させることができました。

論文執筆がほぼ終わった頃、新しい年度のカルテデータの研究利用が可能になり、その患者さんたちのデータも追加して解析するようにQ教授から指導がありました。

え、大変だ!?　とAくんは動揺しましたが、Rで解析したスクリプトはすべて綺麗に保存されています。データの形式さえ同じであれば、人数が増えても同じスクリプトを実行することができます。再現性があるということの重要性をAくんは実感しました。

そして投稿した論文がついにアクセプトされる日がきました。

:「先生、ついにあの論文がアクセプトされました！」

:「本当に頑張ったね、Aくん。Rについて全く知らなかったAくんがこんなに使いこなして、学会発表に引き続き論文まで書けるなんて、えらいよ」

:「いえいえ、これもすべて先生のご指導のおかげです！　Rは本当に便利ですよね。たくさんパッケージがあるし、グラフは綺麗に作れるし、いろいろな解析ができて、無料で使えるなんてありがたいですよね。一見とっつきにくいけど、頑張って覚えて良かったなあ」

本書ではAくんのような医療者が研究を行うことを目的とし、Rのインストールや設定から、データクリーニング、グラフの描出、よく使われる解析手法について順に解説しました。

「スクリプトを書く」という最初の第一歩を踏み込むことは、極めてハードルが高いことです。また、Rをインストールしてみたけれど、すぐにエラーが出てやめてしまったという方もいるかと思います。

本書のターゲットはまさしくそのような方です。

わからないことがあれば、何度も本書を読み直してください。

また、世界中には大勢のRユーザーが存在します。エラーが解決しないときには、インターネットの世界で答を探すのも良いでしょう。

ここまでたどり着いたあなたはもう立派なRユーザーです。自信を持ってこれからのRライフを謳歌してください。本当にお疲れさまでした。

---

注1）本書ではわかりやすさを優先し、詳細な統計学的説明を割愛しました。統計学的な背景の詳細については成書をご参照ください。

注2）Rの本体のソフトウェアやパッケージのアップデートにあわせて、随時 https://www.kinpodo-pub.co.jp/rstudio2/ に修正をアップロードします。ご意見やご要望はリンク先のメッセージからお送りください。

# 索　引

## 記号・欧文



## 和文

あ



か



さ



た



は



ま

## 関数

## パッケージ

## 著者略歴

**笹渕 裕介**（東京大学 リアルワールドエビデンス講座 特任准教授）

山梨医科大学卒業。麻酔科・集中治療を専門として臨床を行っていたが、ふと思いたち 2013 年に東京大学 SPH へ進学。臨床疫学に魅せられ、これを世に広めるための活動に残りの人生を費やすことに。趣味は卓球。著書に『できる！傾向スコア分析：SPSS・Stata・R を用いた必勝マニュアル』（金原出版）、『臨床論文の Methods を読む Method 臨床家が知っておきたい PICO と統計解析の基本のキ』（メディカルサイエンスインターナショナル）など。

**大野 幸子**（東京大学大学院医学系研究科 特任准教授）

北海道大学歯学部卒業、東京大学 SPH・医学博士課程、生物統計情報学特任助教を経て現職。専門は歯科臨床疫学。臨床研究の裾野を広げたいという思いを共有する仲間と本書を執筆。著書に『超入門！ スラスラわかるリアルワールドデータで臨床研究』（金芳堂）、『超絶解説 医学論文の難解な統計手法が手に取るようにわかる本』（金原出版）、『それをしたらダメ！　NG 事例から学ぶ臨床研究デザイン』（金芳堂）、『ゼロからわかる歯科臨床論文を読み解く方法 Evidence-based dentistry の実践のために』( 新興医学出版社 )。

**橋本 洋平**（Biostatistician, Save Sight Institute, The University of Sydney）

東京大学医学部医学科卒業。眼科専門医。2016 年、上級医の研究成果をなぜか自分だけで学会発表することになる。統計解析では R が使われており、何としても理解する必要性に迫られる。以降 R ユーザー。2018 年臨床疫学・経済学教室へ国内留学。2023 年シドニー大学へ留学。R を愛する諸先輩とともに本書を執筆。

**石丸 美穂**（東京医科歯科大学 統合教育機構 特任助教）

北海道大学歯学部卒業、研修医後に東京大学 SPH・医学博士課程へ進学。専門は歯科臨床疫学。指導者がいないまま R を使用し始め、研究室の仲間と試行錯誤していた。臨床疫学に特化した R マニュアルがあればと何度も思った経験から本書を執筆。新しい研究室に着任する度に R の使用を勧めるが、完敗する日々である。著書に『超絶解説 医学論文の難解な統計手法が手に取るようにわかる本』（金原出版）。

超入門！すべての医療従事者のためのRStudioではじめる医療統計
第2版
サンプルデータでらくらくマスター

2020年3月 1 日　第1版第1刷
2022年8月15日　第1版第4刷
2024年8月 8 日　第2版第1刷 ©

著　者…………笹渕裕介　SASABUCHI, Yusuke
大野幸子　ONO, Sachiko
橋本洋平　HASHIMOTO, Yohei
石丸美穂　ISHIMARU, Miho
発行者…………宇山閑文
発行所…………株式会社金芳堂
〒606-8425　京都市左京区鹿ヶ谷西寺ノ前町34番地
振替　01030-1-15605
電話　075-751-1111（代）
https://www.kinpodo-pub.co.jp/
組　版…………očyk design
装　丁…………佐野佳菜（SANOWATARU DESIGN OFFICE INC.）
印刷・製本……モリモト印刷株式会社

落丁・乱丁本は直接小社へお送りください．お取替え致します．

Printed in Japan
ISBN978-4-7653-2005-4